DE QUOI LE QUÉBEC A-T-IL BESOIN?

DE QUOI LE QUÉBEC A-T-IL BESOIN ?

Fragments d'un dialogue essentiel

ENTRETIENS
sous la direction de
Jean Barbe, Marie-France Bazzo
et Vincent Marissal

LEMÉAC

Ouvrage édité sous la direction
de Jean Barbe

Conception graphique de la couverture : Gianni Caccia
Photo : © Dino O. / Shutterstock

Leméac Éditeur reconnaît l'aide financière du gouvernement du Canada par l'entremise du Fonds du livre du Canada pour ses activités d'édition et remercie le Conseil des arts du Canada, la Société de développement des entreprises culturelles du Québec (SODEC) et le Programme de crédit d'impôt pour l'édition de livres du Québec (Gestion SODEC) du soutien accordé à son programme de publication.

ISBN 978-2-7609-1215-1

© Copyright Ottawa 2011 par Leméac Éditeur
4609, rue d'Iberville, 1er étage, Montréal (Québec) H2H 2L9
Dépôt légal – Bibliothèque et Archives nationales du Québec, 2011

Imprimé au Canada

EN GUISE D'AVERTISSEMENT

Les propos publiés ici sont des transcriptions d'interviews. En les couchant sur le papier, j'ai préféré conserver leur caractère oral plutôt que de tenter de les couler dans une forme qui les trahirait.

La sélection de ces «fragments d'un dialogue essentiel» s'est opérée sans parti pris idéologique, et seulement en fonction d'un instinct que je revendique entièrement puisque j'en suis ici le seul responsable.

Par ailleurs, la réalisation de ce livre a été animée par un sentiment d'urgence. Il nous a semblé, à Marie-France Bazzo, Vincent Marissal et moi (avec l'aide inestimable de Carole Bouchard), que le Québec était en quelque sorte à la croisée des chemins (à moins que ce ne soit une impasse!) et qu'il fallait réfléchir et dialoguer avant de choisir où nous voulions collectivement aller. Ce sentiment a été partagé par tous ceux qui ont accepté de répondre à nos questions.

Mais cette urgence explique aussi son côté... inachevé. Ce livre est un pavé lancé dans la mare pour en brouiller l'apparente immobilité, créer des remous et faire remonter la vase qui en tapisse le fond. C'est une bonne chose que de savoir dans quelle eau on nage – et vers quel rivage.

Ce livre est un début, pas une fin en soi.

Sous les pavés, la plage...

Jean Barbe

Préface

Toutes les semaines, sur le plateau de l'émission *Bazzo.tv*, ou alors dans le décor naturalo-kitsch de l'abri Tempo attenant au studio, les invités s'attendent à se faire poser LA question :

De quoi le Québec a-t-il besoin ?

Qu'ils soient politiciens, chanteurs, humoristes, universitaires, au détour de la conversation, elle surgit. Car, au fil des mois et des épisodes, l'affaire s'est ritualisée. Ils attendent ce moment, se sont préparés mentalement, ils ont envie de répondre.

Peut-être parce que l'actualité des derniers mois, de la dernière année, a provoqué chez plusieurs l'envie de réfléchir, l'urgence de mettre des mots sur un mal-être collectif, sur un état des choses, un goût de nommer, de prendre la parole.

De quoi le Québec a-t-il besoin ? À chaque fois, peu importe à qui la question est posée, le scénario se répète. L'invité recule de quelques centimètres dans le fauteuil rouge du studio ou la chaise de jardin en lanières de nylon du Tempo, comme pour prendre son élan. Il respire un grand coup, et se lance. Jamais, jamais personne n'est resté en panne. C'est sorti de toutes les manières : cri du cœur ou plan quinquennal, avec des sacres, des fioritures, ou en analyse philosophique, mais tous avaient leur avis.

Parce que cette question, ces huit mots sont bien plus que ce qu'ils paraissent. On est loin du déjà historique *What does Quebec wants ?*, la question que le Canada se posait il y a des lustres, dans un autre contexte politique. Ce n'est pas ici (ou pas exclusivement) du Québec par rapport au reste du Canada qu'il est question. On est vraiment ailleurs.

On peut entendre toutes sortes de choses dans ces mots ratoureux. Comme : « Mais que se passe-t-il ? » « Est-ce que ça va durer de même longtemps ? » « C'est quoi cette calvaire de paralysie qui gagne les jambes et la tête de mon pays ? » « Peut-on changer le cours des choses ? » « Qui peut le faire ? » « Qui veut vraiment le faire ? » Et surtout : « À quoi, au fond de nous, aspire-t-on ? »

En fait, cette question est efficace parce qu'elle tombe vraiment au bon moment. On doit bien sûr se la poser, d'une manière ou d'une autre, dans beaucoup de sociétés occidentales, sur des plateaux de télé semblables à celui de *Bazzo.tv*. Cette remise en question n'est pas propre au Québec. Mais ici, nous la vivons à notre façon, celle d'une petite société unique et fragile, pas très vieille, qui se tâte beaucoup, qui s'oublie souvent, et qui cherche encore un sens à sa vie.

C'est que bien des choses ont changé depuis le début du nouveau siècle au Québec, et ça s'est furieusement accéléré depuis quelque temps, comme si on se hâtait de clore un cycle. Les contextes politique, économique, démographique, culturel se transforment. Les enjeux ne s'expriment plus exclusivement, comme ce fut le cas depuis la Révolution tranquille, selon l'axe souverainisme-fédéralisme, mais simultanément selon l'axe gauche-droite, comme dans la majorité des pays. On assiste à l'implosion, à l'effondrement de partis ou d'idées qu'on croyait immuables, tant à Québec qu'à Ottawa. De nouvelles idées se cherchent des lieux où s'incarner, des citoyens désabusés se magasinent un parti. On sent qu'on arrive, après un long et trompeur immobilisme, à une période de reconfiguration politique.

On voit des oppositions, des ruptures générationnelles. Des héritages sont contestés. Un scepticisme galopant envers la politique et un ras-le-bol généralisé par rapport à la corruption, qu'on pressent omniprésente, minent la confiance envers un État qu'on a mis des décennies à construire.

Oui, le Québec se sent fort de son originalité, de sa liberté, de sa richesse relative. Il se pète les bretelles avec sa résilience, son talent insolent. En même temps, il se croit menacé – à tort ou à raison – dans son identité, son existence même. Il se sent racorni par sa propension au consensus anesthésiant.

Il s'indigne du gaspillage. Gaspillage d'argent, de moyens, d'envie, d'énergies, de talent. Quand il se laisse aller, on la sent bien, son envie de continuer, d'aller plus loin, de rêver.

Et tous les exaspérés et les rêveurs du Québec, peu importe leur âge, leur parcours, ont le même réflexe épidermique : ON EST TANNÉS ! Tannés que nos élites et nos politiciens nous prennent pour des imbéciles, tannés qu'on nous gère à la petite semaine, qu'on nous gouverne par sondages, qu'on nous mente, qu'on ne nous mène nulle part, mais en bateau !

On aurait tous envie de mettre le meilleur de nous-mêmes au service de quelque chose qui nous dépasse, mais quoi ? De quoi ce foutu bout d'Amérique a-t-il besoin ?

* * *

Rapidement, le fameux « De quoi le Québec a-t-il besoin ? » s'est mis à nous obséder. Au-delà de l'intérêt manifeste que ça suscite chez nos invités, parmi le public, on se rend compte que ça parle d'un besoin viscéral. Celui de vouloir se projeter en avant, comprendre ce qui bloque, de toute évidence, depuis quelque temps, et essayer de changer les choses, ou, à tout le moins, de proposer des idées de changement. Comme une urgence de ne pas laisser faire, ne pas choisir le confort ni l'indifférence. C'est Vincent Marissal qui, le premier, a eu l'idée de pousser l'exploration plus loin. De poser la question à d'autres personnes, de multiplier les regards, les points de vue, y compris générationnels.

Nous sommes donc partis des réponses courtes et spontanées livrées par plusieurs invités des quatrième et cinquième saisons de *Bazzo.tv*. Certains d'entre eux, à notre demande, ont approfondi leur réflexion.

Nous avons également soumis quelques collaborateurs réguliers de l'émission à l'exercice. Pourquoi se priver? Ces ex-politiciens, écrivains n'ont pas la langue de bois, pratiquent la parole libre; c'est pour ça qu'ils sont des piliers du show, alors: Go! Ensuite, nous avons élargi le cercle. Des plus âgés, des plus jeunes, des gens nés ou ayant grandi ailleurs. Pas trop de rectitude politique toutefois, qui nous aurait valu un échantillon totalement équilibré certes, 100 % bio, mais un peu trop corseté.

Car nous avons des partis pris que nous assumons. Ainsi, parmi les invités de la version écrite se trouvent peu d'experts, de journalistes opinionneurs, pas trop de «vedettes». Leur opinion formatée, justement, on la connaît.

Jean Barbe, Vincent Marissal et moi avons donc rencontré les hommes et les femmes que vous allez lire au fil des pages qui suivent. Nous leur avons posé une demi-douzaine de questions, les mêmes à tous. Heureuses et riches heures de discussion, d'approfondissement, de pensée libre et d'intense stimulation intellectuelle. Dieu que ce genre d'exercice et de lieu d'échange existe peu dans les médias! Sous des apparences de blocage, un feu couve. Nous avons rencontré des gens qui avaient des flammèches dans le regard et le propos.

Je tiens ici à remercier Télé-Québec et ses dirigeants, qui nous permettent chaque semaine, avec *Bazzo.tv*, de nous enflammer. C'est un privilège dont nous connaissons la valeur. Sans l'émission, ce livre n'aurait pas vu le jour. Or, le voici.

Et ce qui ressort de cet exercice en forme de feu d'artifice pour les neurones n'est ni un programme électoral ni une plate-forme politique. Surtout pas. Aucun parti ne voudrait ça: mortel pour la ligne de parti. Ça part dans toutes les directions. Les paroles se contredisent, se répandent, se complètent, on passe du pessimisme noir foncé à l'espoir, ou le contraire…

Une des rares constantes dans ces propos: nous sommes las qu'on nous prenne pour des épais sentimentaux et manipulables à l'envi. Nous sommes exaspérés que les questions les plus fondamentales que nous nous posons collectivement soient des ovnis qualifiés de « non recevables » par les comités, tables de concertation et groupes d'étude typiques de la résolution de conflits dans notre aimable société québécoise consensuelle.

Nous avons envie de parler vrai, ce qui n'a rien à voir avec les « vraies affaires ». Nous savons que nous avons des problèmes, mais que nous avons aussi des moyens, et que tout n'a pas été essayé et pensé. Nous avons envie de rebrasser les cartes.

Cet objet étrange que vous avez entre les mains est donc une manière de carte géographique, un GPS qui propose des sentiers, des pistes, qui esquisse des repères, qui signale les trous noirs. Il s'adresse à tous ceux et celles qui sont *stallés* à la station-service tard le soir et qui désespèrent de trouver le chemin.

La carte est incomplète, les routes qu'elle propose sont *rough*, mais c'est tant mieux.

Il faut que nous redessinions des cartes collectives. Que naisse un tome II. Que se créent des lieux de discussion, bref, qu'on recommence un peu à rêver le Québec…

De quoi le Québec a-t-il besoin ? Huit mots qui font du chemin…

Marie-France Bazzo

DE QUOI LE QUÉBEC A-T-IL BESOIN?

(première partie)

La question de départ, la mère de toutes les réflexions...

Née spontanément sur le plateau de *Bazzo.tv*, du fait que dans les entrevues qu'on y propose, où souvent les invités n'ont rien à «vendre», on réfléchit dans un contexte peut-être plus libre qu'ailleurs.

Rapidement, dans ce type d'entrevues, on va à l'essentiel. On en arrive à se questionner sur l'état de notre monde, de la société québécoise. Plusieurs invités exprimaient la même idée : il manque quelque chose à l'épanouissement maximal du Québec.

La question est donc venue spontanément, puis s'est imposée comme un classique : Que nous manque-t-il ?

Nous serions insatisfaits. Pas seulement déçus de nos gouvernements, mais de nous-mêmes comme société. Incomplets. Il y a vingt ans, la réponse à ce questionnement aurait été plus simple, plus évidente : «Le Québec a besoin de son indépendance.» Aujourd'hui, cette seule affirmation n'est plus satisfaisante, toutes allégeances politiques confondues. La question nous renvoie à des envies, des désirs, des urgences viscérales, enfouis.

À quelques reprises, en préparant ce projet, j'ai posé la question à mes abonnés sur Twitter. Déluge de réponses variées, mais qui recoupaient somme toute celles de nos invités.

De toute évidence, une question qui touche une corde sensible...

M.-F. B.

René-Daniel Dubois
Écrivain, dramaturge

La première idée qui me viendrait, c'est que le Québec a besoin de réfléchir. Pas de réfléchir sur nos lieux communs, usés jusqu'à la corde, mais de regarder la situation, de remettre les regards à zéro, de peser sur *reset*.

Ça prendrait, je ne sais pas, quoi, maximum vingt personnes, ce serait vraiment miraculeux ! Vingt personnes qui parleraient autrement de la société, pour faire ressortir ce dans quoi on est, et qui n'est pas ce dans quoi on pense que l'on est !

En ce qui me concerne, la société dans laquelle nous nous rencontrons aujourd'hui est une société qui est en train de câlisser le camp par terre. On a passé le cap de non-retour. C'est une société qui s'effondre. Elle tient de peu parce que personne ne souffle dessus. Mais au premier soubresaut, tout câlisse le camp. À tous égards.

En termes d'administration publique, à un moment donné, tu dis : « Coudonc, apparemment, il semblerait que cette société, pourtant moderne, riche et patati et patata, n'arrive plus à fournir suffisamment de cadres, de gens qui prennent les bonnes décisions pour maintenir le bateau à flot. » Regarde l'état des rues, l'état des routes, les ponts qui tombent en morceaux, les institutions qui s'effritent, la corruption de toutes sortes !

Il y a la corruption des sous, mais il y a aussi la corruption des idées, l'incapacité d'originalité, l'espèce de nivellement du discours qui dit que tout le monde veut la même chose. Mais si tu as le malheur de mettre un orteil en dehors du bain, tu te fais crier des noms.

Ça ne peut pas continuer. Et non seulement ça ne peut pas continuer, mais plus on avance et plus ça se débringue. La santé, l'éducation, l'économie... Écoute, l'état de l'économie, c'est épeurant. Et dès que quelqu'un dit quelque chose, on le sacre en bas de la charrette. Donc, évidemment, il y a de moins en moins de gens qui restent dans la charrette. Mais ceux qui y restent, ils ont l'air en santé! Évidemment, le monde malade puis les poqués ont tous été sacrés en bas.

Et on n'arrive pas à mettre le regard à zéro. Il faut vraiment qu'il y ait du monde qui rue dans les brancards. Ça, c'est l'étape zéro. Juste se rendre compte qu'on est dans une société qui est en train de câlisser le camp par terre.

En d'autres termes, il s'agirait de refaire maintenant, adapté aux circonstances de maintenant, ce qui a été fait dans les années cinquante.

Le Québec n'avait pas le choix dans les années cinquante. On était une société du XIXᵉ siècle. Après la Deuxième Guerre mondiale, ça sautait aux yeux!

Tu avais des secteurs d'activités qui, eux, allaient plus vite que le reste, qui s'étaient développés, à cause des deux guerres mondiales, les secteurs industriels et tout ça. Il fallait faire une mise à jour, autrement, on était balayés de la mappe. Mais on n'a pas fait la job comme il le faut, on ne l'a pas faite à fond. C'est une des causes, je crois, de la situation dans laquelle on se retrouve.

Donc il faut: 1) constater; et 2) discuter et se parler fort. Tout ça implique de se sortir des ornières dans lesquelles nous sommes et qui n'ont plus de bon sens. Ça n'a plus de bon sens! Le psychodrame du Parti québécois, je veux dire, c'est rendu du cirque! Et toute l'affaire du nationalisme, alors qu'il n'y a plus personne qui sait de quoi on parle! Qu'est-ce qu'on veut, et veut-on continuer comme ça?

Un exemple de chose dont on pourrait parler: c'est-tu vrai qu'on veut continuer à parler français? Il y a la moitié de la population qui ne sait pas lire, et tout le monde s'en crisse!

49,7 % d'analphabètes, ce sont les chiffres de 2003 du gouvernement du Québec. Ce sont les gens qui n'ont pas la capacité de lire un message simple ni de faire le lien entre les phrases. Autrement dit, ils ne comprennent pas ce qui est écrit sur une pinte de lait.

Et on dit que c'est notre langue qui est déterminante? Et notre culture? Alors que le taux de décrochage scolaire est si élevé?

On pourrait multiplier les exemples, comme on pourrait multiplier les recettes pour réparer des morceaux du système. Même si on répare tel ou tel secteur, il va finir par se faire balayer avec l'effondrement du reste. L'idée, c'est qu'il faut être systémique – et on n'est pas en mesure de le faire parce qu'il n'y a pas de discussion sur le fond.

Tant mieux si on me surprend, mais je ne crois même plus que ça puisse arriver. L'état de dégradation est tel que je pense qu'il n'y a même plus ce qu'il faut pour que se produise ce dont je te parle là.

Benoît Dutrizac
Journaliste, animateur radio

Le Québec a besoin d'une révolution. Mais pas d'une révolution tranquille. D'une révolution utile. Certifier la Révolution tranquille, le modèle québécois, les consultations, les comités, le consensus. Ça prend une révolution utile, pour servir les citoyens. Mais la question du service aux citoyens, je ne l'entends jamais!

Est-ce qu'il y a des projets qui sont nés en se disant: «On va le faire pour servir le citoyen»? On n'a qu'à regarder le cas de Montréal, qui est l'ultime exemple de ce qui va mal au Québec, avec un maire incapable de décider. Et quand il prend des décisions, ce sont les mauvaises.

Savais-tu que le gars qui gère les Bixi est vice-président d'une compagnie qui entrepose les Bixi? C'est toujours comme ça quand tu grattes un peu.

De quoi le Québec a besoin? Il a besoin de quelqu'un qui va faire le ménage du côté syndical, du côté patronal, quelqu'un qui n'a pas d'ascenseur à retourner (à peu près impossible au Québec) et qui va prendre des décisions avec un peu de conscience sociale. Pour que les affaires roulent, pour que les affaires marchent.

Amir Khadir qui est contre tout, je veux savoir il est en faveur de quoi. On s'oppose à tout, mais il n'y a rien qui se construit. Ça fait quoi… douze ans?

L'exemple simple d'une révolution utile, ce sont les gaz de «fascistes», les gaz de schiste. L'industrie est arrivée, s'est installée dans les municipalités. On connaît l'histoire… Lucien Bouchard s'est présenté comme un premier ministre, alors qu'il n'était qu'un avocat avec pour mandat de représenter l'association de l'industrie gazière et pétrolière. Une révolution utile, c'est se demander: «Y a-t-il un marché? Est-ce qu'il y a un marché maintenant? S'il n'y a pas de marché maintenant, on va y penser plus tard.»

21

Je pense que c'est la Norvège qui, en 1970, a créé un fonds intergénérationnel quand ils ont découvert du gaz naturel, du pétrole. Ils ont pensé aux générations futures.

Une révolution utile, c'est juste réfléchir, simplement réfléchir à qui ça va servir et comment on peut le faire pour que tout le monde puisse en profiter.

Le Plan Nord de Jean Charest : il veut négocier les redevances après avoir signé le contrat ! Il faut-tu être sans dessein ?

Une révolution utile, c'est se dire : «Attends une minute, on a des ressources naturelles, on va les exploiter parce qu'on ne vit pas sur un nuage, mais on va s'assurer que les communautés puissent en profiter, que la société puisse en profiter, qu'on rembourse une partie de la dette, qu'on s'offre des services sociaux.» Pour moi, c'est juste ça, une révolution utile.

C'est d'avoir des gens qui sont intègres, honnêtes, indépendants, qui ne fréquentent pas les salons d'Outre-mont, qui ne couchent pas avec Power Corporation ou avec le conseil d'administration de Quebecor. Ça prend des gens complètement indépendants. J'ai l'impression que ça n'existe plus. Et c'est ce qui m'inquiète pour l'avenir de nos enfants, pour l'avenir du Québec. Le Québec a besoin d'une révolution utile, pas tranquille, claire, pas bureaucratique, au contraire.

Les commissions scolaires se sont fait un congrès, au Queen Elizabeth. Ça a coûté 150 000 $ pour que ces gens se félicitent entre eux, avec un taux de décrochage de 35 à 45 % chez nos garçons. Ils se félicitent de quoi ?

Si on avait un ministre de l'Éducation avec un peu de décence, il aurait dit : «Ça suffit, ça va faire !»

Je parle de façon très pragmatique. On le voit tous, ce qui a de l'allure et ce qui n'a pas d'allure. Mais est-ce qu'on peut remettre ces choses en question au Québec ? Le Grand Prix, est-ce que ça profite à Bernie Ecclestone et aux maquereaux puis au service d'escortes à Montréal, ou ça profite à la population ? Est-ce que ça crée des jobs? Est-ce qu'on veut ça comme ville? C'est quoi notre identité? C'est quoi le Québec? Est-ce qu'on est vert ou on se prétend vert?

Alors moi, c'est ce qui me revient toujours en tête. Une révolution utile, je ne dirais pas de gros bon sens, parce que c'est trop démagogique, mais réfléchie, au service des citoyens.

Roy Dupuis

Acteur

Le Québec a besoin de courage. De courage et de compassion. De compassion.

Raôul Duguay

Poète, auteur-compositeur-interprète

Le Québec a besoin d'amour. Le Québec a besoin d'amour du Québec. Il a besoin qu'on aime être ce que nous sommes ici sur ce territoire, à créer un pays qui est à l'image de notre vision, de notre rêve d'être ensemble. Je pense qu'on ne s'aime pas assez. Je pense qu'on a besoin de découvrir combien nous sommes riches. Si on s'aimait plus... Premièrement, si on s'aimait plus, on serait déjà un pays. Il faut s'aimer jusqu'à avoir un pays. Parce que c'est la seule bonne solution pour qu'on puisse garder notre culture et avancer.

Pascale Bussières

Actrice

LA question. J'y ai beaucoup réfléchi. En fait, tu sais, on a besoin de tellement d'affaires, mais en même temps, je me dis, on n'a pas besoin de rien d'autre. On a tout ce qu'il faut ici. On a tout ce qu'il faut, on a amplement ce qu'il faut pour que ça aille bien. On a tellement tout qu'on gaspille. On gaspille nos idéaux, on gaspille notre force collective, on gaspille bien, bien du temps en Chambre probablement. Les gens se désinvestissent de la collectivité, de la communauté, puis là bien, c'est le royaume du boulevard Taschereau. Ça, c'est angoissant.

Dany Laferrière
Écrivain

Le Québec doit reconnaître la présence de l'autre… Il y a quelque chose de neuf dans la société québécoise, c'est l'immigrant, celui qui est arrivé et qui a brouillé la question identitaire puisqu'il n'est plus question de duel entre le Canada et le Québec seulement, il y a maintenant rencontre du troisième type…

Il y a un troisième type qui est présent, et ce troisième type-là vient complètement déranger la donne idéologique. Parce que le Québec dit : « Le Canada est une zone coloniale qui nous écrase et nous empêche d'être nous-mêmes », et l'immigrant dit : « La société québécoise nous empêche d'être nous-mêmes. » L'immigrant reprend le débat victimaire à son compte et pousse le Québec à avoir un discours majoritaire en disant : « Il faut faire ce que la majorité demande de faire ; il faut faire comme l'ensemble de la société le demande. » Ce que le Canada dit depuis très longtemps par rapport au Québec ! C'est-à-dire que les immigrants demandent une condition de société distincte, et Québec dit : « Non, ça ne doit pas exister. »

Ça remet en question toute la base théorique de la proposition du Québec depuis longtemps. Ça oblige à tenir le discours même du Canada envers le Québec : « Il faut faire comme la majorité, les lois ne changeront pas pour vous, vous n'avez pas de situation exceptionnelle… »

Quand le Québec parle aux immigrants, il ne veut pas parler trop fort, parce que le Canada va entendre et va dire : « C'est ce que je vous dis depuis très longtemps, vous êtes en train de casser la société ! » C'est ce qu'on dit aux immigrants quand ils contestent et c'est ce que le Canada dit au Québec depuis tout le temps. Et le Québec dit d'ailleurs : « Que veut l'immigrant ? » *What do immigrants want ?*

Je ne confonds pas la situation du Québec avec celle de l'immigration parce qu'il y a un territoire, il y a une histoire, il y a des choses. Mais je dis que sur le plan de la structure, sur le plan du discours, ça rend l'affaire inconfortable. Il faut trouver un autre discours que ce discours victimaire, ou bien il faut changer le discours avec le Canada. Ou changer avec les immigrants, ou changer avec le Canada, mais on ne peut pas prendre le même, sinon on devient schizophrène, très bizarre, avec deux discours complètement divisés.

Donc, le Québec doit entrer sur le plan pratique aussi, avec la question immigrante, sortir de l'idéologie qui permet à tout individu de prendre la parole et de dire : « On leur a tout donné, mais qu'est-ce qu'ils veulent ? Qu'est-ce qui se passe, pourquoi ils ne nous remercient pas ? » Il faut sortir de ce vocabulaire de la compassion, un peu judéo-chrétien, et le retirer de l'espace public. Il peut rester dans l'espace privé, personne n'empêchera personne de demander personnellement des comptes à d'autres.

Arrêtons de dire que ces gens-là, on les a reçus pour les aider. Il faut sortir le discours compassionnel de l'espace public et nettoyer l'espace public de tous ces vieux parasites qui empêchent la nouvelle génération de comprendre ce qui se passe. Parce que c'est confus, totalement. Parce qu'on n'est pas ça.

On se dit une société laïque ? Il faut l'assumer complètement. Il ne faut pas que chaque individu dise ce qu'il pense de la question du voile, etc.

On est une société francophone en Amérique du Nord, c'est très clair, mais on s'est mis dans des situations complètement artificielles et imaginaires. Notre rapport avec le Canada est un rapport extrêmement étrange où le discours national public empêche l'individu de circuler carrément sur le territoire nord-américain.

Et notre rapport avec la France est complexé, sans raison ! Moi je me sens plus ouvert quand je suis en France, je ne dois rien, je regarde et puis je pense, je me fâche si quelqu'un me fâche, mais je n'ai pas de tension interne. Bon, je vois d'où ça vient, bien sûr. Ça vient aussi du fait que les choses sont définies pour moi. C'est-à-dire : ancien esclave, Noir. Tout est défini. Alors que le Québécois a toujours cette impression : « Comment ça se fait que je suis blanc, européen quand je suis en Europe, jusqu'à ce que je parle ? » 70 % des Québécois n'ouvrent pas la bouche. Je connais une dame, intellectuelle, québécoise, qui m'a dit : « Je suis depuis trois jours en France et je n'ai pas dit un mot. » Elle était dans un salon du livre. C'est une leader, c'est quelqu'un qui participe... Et après le salon, après les rencontres, elle doit rencontrer des gens dans les cafés pour discuter.

La conversation étant le cœur même de la culture française, eh bien, elle n'a pas parlé parce qu'elle se dit : « Dès que je parle, ça va tomber sur le Québec, ils vont m'agresser, je vais m'énerver, et puis j'aurai l'impression naturellement que je ne dis jamais rien de bon, que je suis toujours à côté de la plaque. Ils vont rire de mon accent, de ce que je dis, de ce que je pense... »

Alors que c'est une puissante, et les gens sont impressionnés par ce qu'elle fait, ce qu'elle représente, qui est une puissance : elle représente un marché énorme, nord-américain, avec une possibilité de langue française. Alors vous croyez que les gens sont intéressés à ce que pense un Nantais, un Nîmois ou un Bordelais par rapport à quelqu'un qui représente huit millions de francophones riches ?

Il y a énormément, en France, de Québécois qui n'ouvrent pas la bouche ! Et plus le niveau social est haut – ils habitent tous à Outremont ! –, plus le type est médecin, plus le type est ministre, plus il prend mal la gifle. Brusquement, il devient pire qu'un Nègre. Parce que nous savons qu'en France un Noir peut dire les nouvelles au *20 heures,* alors qu'un Marseillais ne le peut pas. Il y a un cas comme ça à régler. Ce sont des choses qui peuvent être réglées. Ce qu'on est, ce qu'on n'est pas. On est de riches négociants nord-américains quand on est en Europe. On n'a qu'à s'en foutre des questions d'accent. On n'est pas là pour ça.

Moi, je pense que le Québec devrait avoir des visées impériales!

Anaïs Barbeau-Lavalette
Cinéaste, auteure

Je pense que ce dont le Québec a besoin est assez simple. C'est d'être conscient de qui on est en tant qu'ensemble. Qui on est en tant que *nous*. J'ai l'impression qu'on a un regard un peu biaisé sur notre collectivité.

Je pense qu'on se sent beaucoup plus divisés, beaucoup plus faibles, beaucoup moins solides qu'on ne l'est en réalité. Je ne pense pas qu'on soit si petits, si tout seuls, si divisés que ça. J'ai l'impression que ce qui manque, ce sont des liens.

Je pense qu'il faut travailler à créer des liens. Je pense qu'on est un peu ghettoïsés : Montréal *versus* les régions ; à l'intérieur de Montréal, il y a mille subdivisions de communautés. Je pense qu'il nous manque clairement des liens. Je pense qu'on s'est individualisés, mais que ça ne veut pas nécessairement dire qu'on n'a pas soif de ces liens-là. Il faudrait qu'on travaille à les construire parce qu'on se ressemble bien plus qu'on est différents.

Je le sens quand on se parle, quand ça arrive, quand les rencontres sont forcées.

Moi, j'ai beaucoup travaillé dans les nations autochtones, complètement isolées dans le fond du bois. De un, ça n'a pas de sens que les autochtones soient aussi invisibles. Une des premières choses à faire, c'est de reconstruire ces liens-là. Moi, j'en suis sortie beaucoup plus forte, en sachant beaucoup mieux qui j'étais, comme Québécoise.

Eux aussi, ça les abreuve, ça les nourrit de nous rencontrer, nous les allochtones, les Blancs de l'autre côté. D'un bord comme de l'autre, on n'a pas de visage. Et je pense que c'est une clé… Retrouver nos visages.

Camil Bouchard

Psychologue, ex-ministre

Le Québec a besoin de se refaire une beauté, de retrouver sa beauté. C'est comme si les quelques dernières années, disons dix, quinze ans, avaient éloigné le Québec de ce qu'il est vraiment. Et lorsqu'il se regarde, il ne se reconnaît pas, alors qu'il a de belles choses à reconnaître.

Je pense que la première étape dans sa capacité de se refaire une beauté, c'est de reconnaître ce qu'il a fait de façon assez exceptionnelle durant les dernières années.

Des chercheurs britanniques ont fait la démonstration que moins il y a d'inégalités dans une société, moins la société aura à investir dans des politiques de remédiation puis de rééducation puis de rattrapage de toutes sortes.

Cela donne des sociétés en meilleure santé mentale, en meilleure santé physique, où il y a moins de toxicomanie, moins de décrochage scolaire, moins de prison, moins d'obésité. En fait, si on calcule correctement, on s'aperçoit qu'on n'est vraiment pas dans la mauvaise trajectoire au Québec depuis la Révolution tranquille, ni depuis le renforcement des politiques qui ont suivi la Révolution tranquille.

Mais les Québécois oublient vite. Ils oublient vite ce qu'ils ont fait d'exceptionnel, parce qu'ils ont entendu, depuis les dernières années, un discours qui dit : « Nous sommes les plus imposés, nous sommes les plus taxés… »

Ce discours est tenu par des gens qui ont perdu leur machine à calculer !

J'ai fait paraître un article dans *Québec Science*, sur un calcul qu'on fait trop rarement mais qui est très important. Ça nous coûte annuellement 1,7 milliard pour les services de garde à tarif réduit au Québec. Plus 300 millions de crédits d'impôt remboursables, parce qu'il y a des gens qui n'ont pas accès au tarif réduit. Ça fait deux milliards.

Au bout du compte, quand tu regardes ce qu'on retire comme contribuables en termes d'impôt, de taxes (parce qu'il y a 70 000 emplois en jeu que les femmes n'auraient pas occupés autrement), et aussi ce qu'on ne dépense pas en aide sociale et en assurance-chômage, etc., on arrive à un profit! On arrive à 2,5 milliards par année de revenus. Bon, s'il fallait seulement s'occuper de cet angle-là des choses, on serait déjà gagnants.

Mais le discours ambiant est complaisant à l'égard d'une espèce d'humeur populaire qui dit que l'État nous étrangle, que l'État est trop gros... Ce discours a gagné à peu près tous les partis politiques, sauf un : Québec solidaire. Mais eux, chez Québec solidaire, ils n'ont pas sorti la machine à calculer les revenus, donc ça ne va pas. Ils sont seulement dans la dépense. C'est ce qui fait que les Québécois ont oublié qu'ils ont été longtemps et sont encore les champions de l'égalité en Amérique du Nord.

Le discours ambiant a convaincu les Québécois que ça leur coûtait trop cher et que l'État était trop gros. Puis ils ont oublié que l'équité salariale, que l'augmentation du salaire minimum, que l'assurance-maladie, que les CPE, que les congés parentaux, que...

Ils ont oublié que l'assurance automobile, qui a été créée dans les années soixante-dix, leur donne toujours un niveau de vie comparable à celui de tous les autres résidents d'Amérique du Nord (sinon plus enviable). Ils ont oublié que s'ils payaient l'électricité au même tarif que tout le monde en Amérique du Nord, ils pourraient payer à peu près 30 à 40 % moins d'impôt.

Le discours ambiant a été extrêmement fort, il a été incarné par des leaders convaincants, qu'on étiquette sous le nom de «populistes», mais qui ont au moins cette habileté, cette compétence de syntoniser l'humeur de la population et d'y répondre (d'une façon complaisante).

C'est une habileté politique que les leaders de gauche au Québec ont perdue. Ils ont perdu cette capacité de syntoniser l'humeur du peuple, et de la modifier, et de faire reconnaître aux Québécois qu'ils ont été, durant les vingt dernières années en Amérique du Nord, des acteurs importants du développement et du bien-être d'une grande partie de la population nord-américaine. C'est sept à huit millions de personnes dont on parle, là! Alors tu sais, moi, je pense que retrouver sa beauté, c'est d'abord retrouver cette capacité-là de se reconnaître, de reconnaître ce qu'on a fait de bien et de mieux.

Régine Laurent

*Présidente de la Fédération interprofessionnelle
de la santé du Québec*

Le Québec a besoin de plus de rigueur intellectuelle. Parce que c'est vrai qu'on est à l'heure où tout est clip, clip, clip! On n'a pas souvent le temps d'expliquer les choses et d'argumenter. Et souvent, j'entends que la consommation de l'information est rapide et tout, et je me dis : « Si on avait des lieux de débat, où les gens pouvaient prendre le temps d'expliquer les choses, d'argumenter, de discuter, au lieu d'être toujours dans le clip de la nouvelle, je pense que ça aiderait. »

Djemila Benhabib

Auteure, ex-journaliste

Le Québec a besoin d'un projet de société qui tienne compte des aspirations des Québécois et qui en même temps exprime qui nous sommes, d'où on vient et où on veut aller. Et je dirais que ce projet de société doit contenir absolument toutes les questions, aussi bien sociétales qu'économiques, sociales et culturelles. Parce qu'on a bien vu depuis l'écroulement des pays de l'Est et depuis l'écroulement de quelques dictatures dans le monde arabe et dans le monde musulman qu'on ne peut faire l'impasse sur aucune question. Il faut toutes les prendre, et toutes les prendre à bras-le-corps.

On ne peut pas hiérarchiser les questions. On ne peut pas dire : « Dans les vingt prochaines années (ou dans les dix prochaines années), je vais m'attaquer seulement aux questions économiques et je vais mettre de côté, par exemple, la question de la laïcité ou la question de l'égalité. » Ça ne marche pas. Ça ne marche pas parce qu'un être humain, ça a besoin de se nourrir de tout. Aussi bien des questions fondamentales que des questions évidemment économiques, sociales et culturelles.

Dans cette grande équation sociétale, moi, j'ai évidemment des points d'intérêt, et mes points d'intérêt concernent l'égalité. Donc, j'ai un prisme féministe, mais j'ai aussi une autre question qui me tient à cœur, c'est celle de la laïcité. Et je m'intéresse aussi à l'intégration des immigrants. Alors bien sûr, j'examine les choses à partir d'un vécu, à partir d'une subjectivité qu'il ne s'agit pas pour moi d'évacuer. Parce que, pour moi, une analyse qui tient la route, c'est aussi une analyse qui tient compte de la subjectivité de chacun.

Christian Dufour

Politologue

Le Québec a besoin de lucidité, de courage et d'habileté pour lancer et surtout réussir la révolution dont nous avons besoin sur le plan identitaire et culturel pour nous débarrasser de cet atavisme de conquis qui nous rend dysfonctionnels et nous mène de plus en plus clairement à notre perte.

On a eu récemment une démonstration parmi d'autres de ce dysfonctionnement lors de l'élection fédérale de mai 2011 quand on a assisté à un transfert aussi soudain que massif des suffrages du Bloc québécois au NPD, quitte à voter pour des candidats qui ne parlaient pas français. On en a une autre illustration dans le dossier linguistique où on est de plus en plus tentés d'abdiquer la norme fondamentale de la claire prédominance du français sans exclusion de l'anglais dans notre société, comme cela est apparu récemment dans le dossier de la bilinguisation de la sixième année.

On a besoin tout particulièrement d'une réforme *radicale* de notre système d'éducation, domaine où nous sommes complètement souverains, non pas pour changer une énième fois les structures, mais pour nous attaquer à l'essentiel, au contenu, en mettant à nouveau l'accent sur ces valeurs indispensables que nous avons oubliées : l'excellence, l'effort, la persévérance, le travail.

Evelyne de la Chenelière
Dramaturge, auteure

Je ne sais pas si c'est en ordre de priorité, mais en tout cas, pour moi, le Québec a avant tout, en ce moment, un urgent besoin de silence, et ensuite un besoin de poésie, de résistance et de mémoire. Et aussi un besoin de réapprivoiser l'angoisse.

Ça va de pair avec *accorder de la valeur à la vie.* À la vie pour ce qu'elle est. Hormis cette espèce de période de productivité et de rentabilité qu'on associe à une certaine période de sa vie, on n'accorde plus de valeur à la vie pour ce qu'elle est, comme phénomène, comme miracle, comme durée aussi.

Notre conception de la vie est faite d'exploitation et d'exclusion. Quand je parle d'exclusion, c'est les deux extrêmes de la vie, l'enfance puis la vieillesse, entre autres choses.

Pour ce qui est du théâtre en particulier, il y a un très grand besoin de résistance. Parce que la liberté est en voie d'extinction. On est dans un empire médiatique et marchand, alors ça devient selon moi un exercice beaucoup plus exigeant d'avoir une pensée libre, une pensée qui vous arrache à la propagande, une propagande qui est finalement orchestrée par l'ordre économique et qui veut vous enfermer, comment dire… dans une relation de commerce avec l'art.

Il faut résister à tout ce qu'enfante l'ordre économique. C'est-à-dire un esprit d'extrême compétitivité dans tous les domaines, mais dans les arts aussi, et de recherche de rentabilité bien sûr, mais des fois, c'est bien plus invisible que ça.

Même un artiste qui est investi dans son parcours et dans une recherche honnête et profonde peut inconsciemment tomber dans cette espèce de vision des choses où l'utilité de son travail n'existe qu'à partir du moment où on le déclare pour lui.

Gilles Parent
Animateur radio

Le Québec a besoin de *homestaging*. Quand les gens vendent leur maison, ils enlèvent toutes les cochonneries, toutes les bébelles, tout ce qui est de trop, et ils vont à l'essentiel pour que les gens voient l'essentiel, c'est-à-dire la structure. Je pense qu'on aurait besoin d'un *Quebec-staging*, c'est-à-dire qu'on arrête de s'enfarger dans plein de choses. J'ai l'impression que, dans ce qu'on essaie de faire, il y a toujours trop de règles, alors finalement, pour reprendre l'expression qui a été lancée hier par Guy Bourgeois à mon émission : on a « les deux mains sur le volant et les deux pieds sur le *brake* ». C'est exactement ce que je pense.

Ensuite, je suis un peu vieux jeu ! On devrait aussi retrouver le plaisir de conjuguer l'effort et la discipline. C'est une partie importante du problème. On essaie de faire ça, mais le goût de l'effort, le goût de la discipline, le goût de réussir, ça s'est perdu du côté du gouvernement, c'est-à-dire qu'on a délégué ces qualités au gouvernement pour qu'on n'ait pas besoin de le faire.

Je trouve que ça a un effet pervers pour la personne elle-même au départ. Mon père me disait : « Essaie d'être premier, tu ne le seras pas toujours, mais tu risques d'être deuxième ou troisième, alors que si tu vises d'être dans la moyenne, tu vas des fois te retrouver sous la moyenne. »

On a perdu, en étant trop socialisant, ce désir d'être bon. J'ajoute à ça qu'il faut retrouver la fierté, l'estime de soi. On voit bien que les étudiants décrochent, on est préoccupés, on le dit, mais on n'agit pas là-dessus.

Regarde la tragédie en Montérégie [ndlr : les inondations du printemps 2011]. La Croix-Rouge a de la misère à amasser de l'argent, c'est plate à dire, mais ça a monté tranquillement, il n'y a pas eu de morts, pas de maisons arrachées, et nous, on réagit quand c'est grave,

grave! Personne ne se sent interpellé, et pourtant ils sont dans le trouble, ils en ont pour des mois et des mois, et les gens donnent moins parce qu'il y a moins de morts, moins de victimes. Il y a quelque chose de très superficiel dans notre façon de voir. On ne réglera pas tout, mais je pense que, derrière ça, on roule sur des routes toutes croches, tout tombe en morceaux, les écoles devraient être revampées, les hôpitaux aussi, et finalement, on n'a pas d'argent, on parle beaucoup, mais on se rend compte qu'il va falloir créer de la richesse.

Va falloir être plus fier que ça, va falloir vouloir rouler sur des belles routes, avoir de belles pistes cyclables, il faut entretenir ce qu'on a à la base.

C'est beau, les projets, mais on a perdu le nord un peu. On a oublié que pour payer toutes ces affaires-là, ça va nous prendre de l'argent.

On manque de projets, il y a le Plan Nord sur la table, mais le Québec, quand il a prospéré le plus, il y avait une prospérité collective, il y avait des projets, des rendez-vous! Avec René Lévesque, c'était le projet de souveraineté. Pour moi, c'est un point d'ancrage. Quand le deuxième référendum a été perdu, il y a eu vraiment un gros *vacuum* sur les projets. Maintenant, on arrive avec le Plan Nord, mais mené par un gars en qui on n'a pas confiance. Ç'a plus l'air d'un gars qui veut passer à l'Histoire que d'un gars qui veut faire prospérer le Québec…

Je me rends compte que si tu n'as pas un leader qui est réaliste, pragmatique et pédagogue, ça ne marche pas! Quelqu'un qui peut expliquer les défis, et expliquer ce qu'il faut faire et ce que ça donne si on fait des réformes.

Quelqu'un qui serait capable d'être un René Lévesque devant son tableau noir, à la fin des années cinquante, pour expliquer la guerre, quelqu'un de crédible et bon pédagogue. Si on ne nous explique pas, on va toujours être rébarbatifs aux changements. Ça fait beaucoup de priorités mais je pense que tout va ensemble!

Kim Thúy

Auteure

Le Québec a besoin de chaos!

Le chaos ferait en sorte que, je ne sais pas, on verrait plus la nature de qui nous sommes, comme population, comme société.

Bien, c'est pour ça. Il faut permettre ce chaos pour que le côté sombre autant que le côté lumineux puissent vivre. Regarde, par exemple, les tam-tam sur le mont Royal le dimanche. Il y a une certaine liberté. Tu peux aller là, tu te retrouves avec toutes sortes d'affaires et toutes sortes de gens. Hier soir, une amie me racontait qu'elle était aux tam-tam avec des amis de l'Ontario. Des gens dans la cinquantaine. Et ils avaient décidé de prendre de la drogue cette fois-là. Alors ils étaient un peu partis, et soudain des mormons se sont précipités vers eux, des mormons qui voulaient sauver leur âme. Et les policiers qui étaient sur place ont protégé mes amis drogués des mormons qui voulaient sauver leur âme!

Tu vois, ça donne quelque chose de vivant, ce chaos. Moi, j'aime ça qu'on ait des mormons, qu'on ait des drogués, qu'on ait 50 ans puis qu'on soit complètement *high*. On a l'impression qu'aujourd'hui tout est devenu normatif ou standardisé. Aseptisé. Alors que, mon Dieu, la viande ne se transforme pas en vers en deux minutes! Mais il y a toutes ces normes. Tout est enveloppé dans du *Saran wrap*. Tu vois ce que je veux dire? J'ai besoin de chaos. Oui, peut-être qu'on en tomberait malade. Et puis? Une diarrhée, ça ne tue personne. En fait, c'est une bonne diète! Je ne sais pas, je trouve qu'il nous manque un peu de cette liberté-là, qui permet aux gens d'être inventifs.

Là, j'ai l'impression que là, on ne nous permet pas d'être inventifs. Parce qu'on veut trop nous protéger de tout et nous protéger contre nous-mêmes. Et ça... Tu sais comme par exemple, ici, quand tu te construis quelque chose, ça prend une rampe, ça prend ci, ça prend ça, alors que… Si dans ta tête tu sais qu'il n'y a pas de rampe, tu ne sautes pas par-dessus… tu fais attention !

Guy Rocher
Sociologue

Il y a place en quelque sorte pour une suite à la Révolution tranquille. Moi, je vis encore de la Révolution tranquille, parce que je crois que le Québec est encore très marqué par les années soixante, soixante-dix, quatre-vingt. On en est les héritiers. Et je me dis que ce dont nous avons besoin en ce moment, me semble-t-il, c'est de retrouver une sorte de grand projet unifiant. Tout le monde le dit, mais il s'agit de trouver lequel. Un projet unifiant parce qu'il y a au Québec, je le vois, une bonne quantité de projets fragmentés, de projets différents et de différents leaderships. Mais ce dont nous avons besoin, me semble-t-il, c'est d'un leadership unifiant.

Il y a des leaders fragmentés, des leaders de certains groupes qui appellent un projet plus global. Mais, au moment de la Révolution tranquille, je pense que nous n'avions pas, justement, cette fragmentation. Nous n'avions aucun projet particulier remarquable, je dirais. C'est un projet collectif qui s'est développé rapidement. À l'époque, c'était *Maîtres chez nous*. Ça, ça a été un slogan qui exprimait ce qu'on voulait et qui nous projetait dans l'avenir pour le faire. Et puis, on ajoutait *Il faut que ça change*. C'est têteux, les slogans du temps. Moi, je pense que *Maîtres chez nous*, ça devrait être encore un projet. Parce que, ce qui se passe en ce moment sur le plan économique, ce qu'on nous propose, c'est de donner ou de vendre nos ressources naturelles. Que ce soit le gaz de schiste ou que ce soit les mines du Grand Nord, c'est un projet de république de bananes. Hélas, c'est ça qu'on nous offre. Et je comprends que ça n'emballe personne. Il faudrait que ce recours à nos ressources naturelles, cette réutilisation des ressources naturelles, se complète vraiment par une grande politique d'industrialisation des transformations de ces ressources.

Que ces ressources soient transformées ici et dans des industries québécoises. Que ce soient des industries d'État ou des industries publiques ou les deux ensemble. Et il y a là, semble-t-il, un grand défaut de plan d'ensemble et de plan inspirant, sur le plan économique. Et ça, moi je trouve que c'est symbolique de l'absence d'un leadership qui soit rassembleur.

Je dis que la Révolution tranquille est encore à compléter. J'ai eu l'occasion de le redire dans plusieurs conférences. Pour moi, elle n'est pas terminée. Je crois qu'il y a eu un énorme bond en avant, dans la maîtrise de notre économie dans les années soixante, soixante-dix, dans notre système d'enseignement, notre système de santé, dans notre fonction publique, dans notre système judiciaire, etc. Il y a eu un bond énorme à ce moment-là. Mais je pense que c'est à poursuivre. Parce qu'il y a encore des inégalités sociales, qui sont d'ailleurs croissantes maintenant. Il y a encore le besoin d'une société plus juste et il y a encore dans la population le désir d'un Québec qui soit plus autonome économiquement, qui soit plus prospère. Donc, je me dis, les éléments sont là dans la population. Le grand projet, je ne sais pas d'où il viendra, mais je vois qu'il n'est pas là. Je ne serai pas l'inventeur de ce projet non plus bien sûr. Mais pour moi, c'est dans ce sens-là que ça doit aller… nous sommes peut-être au moment de la Révolution tranquille phase deux, ou phase trois. Phase deux, c'est peut-être la période où le Parti québécois a été au pouvoir. Il y a eu, à un moment, une sorte de deuxième Révolution tranquille. Et là, j'espère qu'il y aura une Révolution tranquille phase trois. Mais je ne la vois pas encore venir. Mais il me semble que les éléments sont là, dans la population. Il y a un potentiel de colère aussi dans la population et d'insatisfaction qui me rappelle les années cinquante à cet égard-là…

Daniel Lamarre

Président et chef de la direction, Cirque du Soleil

Le Québec a besoin d'une vision. Malheureusement, on a passé beaucoup, beaucoup de temps, au cours des dernières années, à expliquer ce qu'on ne voulait pas être. On a la moitié de la population qui ne veut pas être séparatiste, et l'autre moitié de la population qui ne veut pas être fédéraliste. Et ça a déraillé sur de nombreuses années, et ça se perpétue encore. On ne parle pas de la vraie affaire : c'est quoi notre vision ? Nous, comme peuple, comment on se voit, comment on se propulse dans un environnement qui est de plus en plus global puis qui est de plus en plus international ?

Je voyage beaucoup, et je réalise qu'on ne pèse pas lourd dans la balance lorsqu'on regarde sur le plan international. Je réagis évidemment à l'économie quand je dis ça ; c'est une perspective économique. Mais quand je parle de vision, ça dépasse la donnée économique. Quand je parle de vision, c'est une vision globale : qu'est-ce qu'on veut être, nous, comme peuple ? Dans quel genre de milieu veut-on vivre ?

Ça peut paraître bizarre, mais ce sont des questions qu'on se pose au sein de nos entreprises. Mais comment se fait-il qu'on ne se pose plus cette question-là quand on sort de nos bureaux et qu'on se retrouve dans une position de citoyen ?

Malheureusement, comme nos politiciens ont passé les trente dernières années à se déchirer sur le débat constitutionnel, il n'y a plus personne qui offre une vision de société. Tu sais, au moins à l'époque, quand ce débat-là a commencé, il y avait des visions qui s'opposaient. Aujourd'hui, tu n'as même plus de visions qui s'opposent. C'est pour ça que les gens aujourd'hui sont aussi cyniques face à la chose politique. Parce qu'il n'y a personne qui offre de vraie vision. On passe plus de temps à expliquer aux gens ce qu'on ne veut pas être qu'à expliquer aux gens ce qu'on veut être. Et ça, pour moi, c'est le gros problème.

Donc, premier point, problème de vision. Deuxième point, problème de pérennité. La première génération de richesse de Québécois, c'est la génération juste avant moi. C'est là que sont nées de grandes entreprises comme Vidéotron, comme Bombardier, comme la famille Desmarais. Ça a été les premières grandes richesses québécoises francophones. Et on pourrait ajouter à ça Provigo, on pourrait ajouter à ça plusieurs entreprises. Malheureusement, une fois que j'ai nommé Vidéotron, Desmarais puis Bombardier, il ne reste plus beaucoup de choses à dire. Les autres grandes richesses, ou les richesses en développement qui existaient, ont été vendues. Je trouve ça bien triste. Et j'espère qu'on va trouver le moyen de se dire que la création de richesses, ce n'est pas une maladie. La création de richesses, c'est extrêmement important pour un peuple, et nous, on a été longtemps à la solde des grandes entreprises multinationales ou anglophones. Et au moment où on est en train d'émerger, au moment où on était en train d'émerger comme peuple capable de créer sa propre richesse, beaucoup d'entreprises se sont vendues en très peu de temps. Je suis très préoccupé par cette notion de pérennité. Quand les gens me disent : « Comment vois-tu ton rôle au Cirque du Soleil ? », je réponds que c'est la première fois de ma vie que je me sens imbu d'une mission, qui est celle-ci : « Merde, il ne faut absolument pas que Guy Laliberté vende le Cirque du Soleil ! » Il faut assurer la pérennité de cette entreprise-là. Mais j'espère aussi que c'est une préoccupation importante au sein des grandes entreprises qui appartiennent à des Québécois.

Et puis je pense que le marché boursier nous a contaminés beaucoup aussi dans ce sens-là. Un jour, tu as une entreprise qui est privée, puis tout à coup, paf, cette entreprise-là est cotée à la Bourse. Puis tout à coup, envers et contre les propriétaires, le marché boursier est tel qu'à un moment donné les gens se ramassent parce que les actionnaires sont soumis à l'appât du gain. Finalement, les actionnaires de contrôle se trouvent forcés, directement ou indirectement, de vendre leur entreprise.

Paul Saint-Pierre Plamondon

Avocat, président de Génération d'idées

Le Québec a besoin du retour du service public. Il y a un prix à la perte de fierté, au sentiment quand on se couche le soir et qu'on ne peut pas être fiers de chez nous. Un prix lourd, et je pense que les quelques intellos qui prennent le temps d'en discuter, au moins ils se libèrent dans une certaine mesure en disant : « Non, non, moi, je me donne le droit d'avoir de l'espoir ! »

Le rapport avec l'individuel, le repli sur soi *versus* le collectif, il y a des choses qui pèsent lourd en ce moment sur tout le monde. On ne s'en rend pas compte, mais elles sont là.

Et être fiers de chez nous, c'est important. Chez nous, pour moi, c'est une société québécoise qui s'est donné des objectifs que j'adore. C'est ça qui est le fun avec le Québec : il y a une véritable volonté de se préoccuper d'autrui, d'avoir une société où il fait bon vivre pour tout le monde, au profit de tout le monde. Et ce projet-là est issu de la Révolution tranquille. Mais le fait est qu'en 2011, une personne raisonnable, objective, ne pourrait pas conclure qu'on a poursuivi et atteint ces objectifs-là de manière fidèle et honnête. Or, les gens qui ont mis en branle la Révolution tranquille prônaient et incarnaient le service public, le service du meilleur intérêt de la collectivité québécoise. Aujourd'hui, j'ai plutôt l'impression que l'on retrouve, dans notre sphère de gouvernance, des politiciens qui servent des intérêts privés et qui s'entourent d'experts en communication qui les entraînent à en dire le moins possible, tout en répétant quelques phrases clés simples et *catchy*. Cela, combiné aux multiples allégations de corruption, et les gens se replient sur eux-mêmes...

La seule façon de se redonner espoir, de mettre fin au repli sur soi, c'est de se dire qu'au fond la société québécoise (particulièrement de par son héritage judéo-chrétien, collectif, coopératif) est capable de se réinvestir collectivement. Et ça revient à ma notion principale, le service public, particulièrement dans la sphère politique.

Il faut remettre le service public à l'ordre du jour. Cette fierté de servir le bien commun. Et le jour où ça reviendra, il y a des gens qui se diront : « Hé ! C'est comme une chanson qu'on n'a pas entendue depuis longtemps ! », mais on se dira : « Elle est bonne, cette chanson-là. C'est la mienne, c'est ma *tune*. Ça fait longtemps qu'on ne l'a pas jouée, mais c'est ma *tune*. Je la jouais constamment quand j'étais adolescent. »

Pour arriver là, ça prend des gens honnêtes et créatifs. La lutte à la corruption est une source de fierté, c'est une source de confiance. On sous-estime le rôle de l'impact économique de la confiance du public dans les institutions démocratiques. On parle beaucoup de confiance du consommateur, mais il y a un autre indice, c'est la confiance envers les institutions en général, qui elle aussi est porteuse d'entreprenariat, de création de richesse, d'élan dans une société. Et la lutte à la corruption, la limpidité des processus démocratiques, on a tendance à les quantifier en termes de combien de millions on s'est fait fourrer. Ce n'est pas ça, le coût. Le plus gros coût, c'est le désengagement à tous les niveaux.

Il y a un autre élément qui est essentiel, c'est le goût du risque. Qui, lui, n'est pas toujours très québécois selon moi ! Ça va prendre des gens courageux qui ne font pas de calcul.

Le goût du risque, je le connais parce que les entrepreneurs vivent de cela. Un entrepreneur privé hypothèque sa maison en se disant : « Cette idée-là, moi, j'y crois. Personne n'y croit, mais moi, j'y crois, puis *watch out* ! S'il faut que je dorme par terre, je vais dormir par terre, puis un jour, vous verrez ! »

Un entrepreneur, c'est ça.

Il n'arrivera rien de bon s'il n'y a pas des gens qui ont le goût du risque, des gens qui acceptent une vision et qui se disent : «Moi, j'y vais!»

L'esprit d'aventure. Si l'esprit d'aventure ne revient pas au Québec, tout le reste est une perte de temps. L'esprit d'aventure et le goût du risque, ce n'est pas le but ultime, c'est le chemin.

Luc Ferrandez

Maire d'arrondissement, Plateau-Mont-Royal

Moi, je pense que le Québec a besoin de travailler sur deux de ses défauts fondamentaux, deux défauts qui sont des contradictions, qui touchent même à son modèle de développement.

Tous les peuples ont des défauts et des qualités. Il y a le génie allemand, l'intelligence française, le capitalisme américain, le protestantisme suisse…

Nous, je trouve qu'on est un peuple qui est capable de paix, d'équité et de respect, comme je n'en ai jamais vu nulle part ailleurs dans le monde !

Quand on arrive ici, le cœur, les poumons et les épaules font *ouf*. C'est un des lieux de paix du monde.

J'avais le choix entre vivre à Paris et vivre ici et j'ai choisi de vivre ici à cause de ça. Cette paix-là, ce n'est pas juste parce qu'il n'y a pas de coups de feu dans la rue ! Cette paix, tu la ressens quand tu fais une demande d'emploi. Quand il y a un conflit au travail, tu la ressens. Un conflit avec ton voisin ? tu la ressens. Il y a une paix.

Mais on a aussi des défauts immenses. Je ne veux pas te les nommer parce que… Quand on nomme les défauts, après, ça reste. Les gens oublient la première partie de ce que tu as dit, et ils s'attachent à la deuxième !

Mais il y a des défauts qui sont plus graves que d'autres parce qu'ils touchent à notre modèle de développement. Je pense que le principal défaut, c'est l'écart grandissant entre le refus de la frugalité, qui a fait notre succès pendant deux cents ans, et notre désintérêt pour l'enrichissement.

Si tu vas à Shanghai, tu comprends que les Québécois ne veulent pas s'enrichir. L'enrichissement, là-bas, c'est une obsession.

Mais on ne s'enrichit pas en disant : « Ah ! J'ai une bonne idée, on va lancer une usine de spaghetti ! »

Tu t'enrichis parce que, le 31 décembre au soir, pendant que tout le monde fête, toi, tu es morose en te disant : «Heille, telle vente, je ne l'ai pas faite… puis ah, j'ai oublié d'aller voir tel client… puis l'autre, il m'énerve parce qu'il n'a pas fait tel travail qui aurait permis d'aller chercher tel développement.»

Tu sais, les Américains ne sont pas devenus riches pour rien. C'est une sorte d'obsession constante. Tu vas dans un mariage américain, ça parle de quoi? Ça parle de Bourse, ça parle de moyens de tricher sur l'impôt, ça parle d'achat d'immobilier. Tu vas en Espagne, ça parle juste d'immobilier. Ils veulent construire du béton partout, partout.

Nous, on a un désintérêt pour l'enrichissement. Je veux dire, c'est amusant. C'est presque touchant.

Mais si on se désintéresse de l'enrichissement, il faut prendre acte et assumer notre frugalité.

Marc-André Cyr

Doctorant en sciences politiques, militant

À mon avis, le Québec a besoin de se sortir de cette espèce d'enfermement idéologique dans lequel il s'est englué depuis plusieurs décennies. Au Parlement, il y a trois idéologies qui gouvernent, c'est sensiblement les mêmes qu'on retrouve dans l'Occident en entier. Le néolibéralisme, le conservatisme puis l'idéologie sociale-libérale, de type troisième voie à la Tony Blair, qui n'est rien d'autre qu'une espèce de social-démocratie dénoyautée, une social-démocratie d'apparence.

Donc, loin d'assister à la fin des idéologies, comme certains prophètes de malheur le prétendent, on est plutôt témoin du triomphe absolu, en fait, de la droite morale et économique.

Notre univers économique se referme sur lui-même. Il est unidimensionnel, comme l'aurait dit Marcuse. En dialogue avec elle-même, la droite ne fait que répondre à l'écho de ses propres mensonges. Il n'y a personne dans l'espace public qui donne la réplique à cette droite-là, sinon elle-même. C'est justement parce que personne ne lui donne la réplique qu'elle peut se permettre de dire n'importe quoi.

Il y a peut-être Québec solidaire… C'est une gauche modérée qui veut redistribuer la richesse par le biais du parlementarisme. Le traitement qu'on lui réserve est représentatif de cet enfermement-là. On le traite d'extrémiste, de fanatique, de socialiste, de communiste, on traîne Khadir dans la boue…

Qu'un député de centre-gauche réussisse à faire autant de remous! La formule que j'ai trouvée, c'est qu'autour de Khadir, c'est le vide qui prend du relief, comme en creux.

Il suffit qu'un seul député de centre-gauche se pointe à l'Assemblée nationale, puis tu vois le bordel que ça crée!

La commission face à Lucien Bouchard, c'était pathétique. Mais la façon dont on traite Khadir...

Est-ce qu'on se rend compte du conformisme d'une société qui traite ses socio-démocrates comme des extrémistes et des fanatiques?

Est-ce qu'on se rend compte qu'on vit dans une société qui se scandalise plus facilement du boycott symbolique d'une boutique que des politiques canadiennes envers Israël?

C'est la dominance à peu près intégrale de la droite.

Mais de façon générale, on a perdu même jusqu'aux mots, jusqu'aux concepts qui nous permettaient de faire la critique des mensonges émis par la classe politique et économique. On a perdu ces concepts élémentaires que sont, par exemple, les mots *classes sociales*, les mots *oppression, domination, travailleurs*...

Les travailleurs n'existent plus, il n'y a que des salariés.

Le mot *exploitation* n'est plus employé.

Le mot *liberté* est lui-même corrompu.

On s'est fait voler les mots mêmes qui nous permettaient de faire une critique consistante du monde qui nous entoure.

On ne peut plus nommer les rapports de pouvoir, on ne peut plus nommer les rapports d'oppression. Et c'est là tout le drame.

Je suis sérieux quand je le dis: si on cherche à comprendre pourquoi le taux de suicide est si élevé au Québec, il suffit d'écouter la période de questions à l'Assemblée nationale.

Michael Fortier

Sénateur, ex-ministre

Le Québec a besoin d'emplois. Et il a besoin d'une ville, comme Montréal, beaucoup plus vigoureuse qu'elle ne l'est maintenant. Les autres débats sont importants, le Québec comporte déjà beaucoup de gens qui, en art et culture, on le sait, sont franchement éblouissants. Et je ne vois pas pourquoi ça arrêterait. Mais en même temps, il faut continuer à créer de la richesse, cette richesse qui a permis à des gars comme nous d'avoir des jobs.

Il faut continuer à créer ces emplois pour les générations futures. Et le poumon économique du Québec, c'est Montréal. C'est par là qu'arrivent les immigrants.

Ils ne vont pas à Trois-Rivières, ils ne vont pas au Saguenay.

La situation du Québec est très différente de celle des autres provinces canadiennes. J'ai travaillé à Ottawa pendant trois ans, et il y a beaucoup d'immigrants qui peuvent habiter à Ottawa. Ils peuvent habiter à Hamilton, ils peuvent habiter à Windsor, ils peuvent habiter à London. Il y a beaucoup de villes qui peuvent les accueillir. Pourquoi? Parce que la barrière de la langue, en partant, n'est pas un outil d'exclusion.

Alors qu'à Montréal, qui est le port d'entrée d'à peu près 95 % de nos immigrants, les gens arrêtent ici parce que c'est ici qu'ils veulent être. Et ils ne veulent pas aller en région, pour toutes sortes de raisons. Montréal doit donc elle-même créer son lot d'emplois, pas juste pour les immigrants, mais parce que les immigrants aussi vont continuer à venir s'installer à Montréal.

Je me rappelle, en 2007, quand le Canada a connu son plus bas taux de chômage de tous les temps... je pense que c'était 7 %, et le Québec, c'était plus de 7,5 %. Je me rappelle, je m'étais fait le commentaire que c'était quand même élevé !

Au Québec, il y avait un boom économique depuis cinq, six ans. Quand tu regardes d'autres sociétés occidentales, d'autres pôles économiques importants en Amérique du Nord, surtout aux États-Unis, eux aussi, ils vivaient le même boom que nous. Mais pour eux, c'était 4 %, c'était 5 %, le taux de chômage.

C'est énorme, 2,5 points de pourcentage de plus. C'est énorme, c'est des milliers d'emplois !

Alors que nous, on se satisfait de peu quant au développement économique, et je pense qu'on fait erreur. Ce dont on a besoin, c'est des emplois. Parce que, avec des emplois, on crée de la richesse, puis avec la richesse, on peut se permettre d'être créatifs dans nos programmes sociaux, on peut se permettre de réinvestir dans la société, dans les programmes communautaires.

Mais sans cette richesse, on le fait à crédit et on voit où ça nous a menés.

Checkout Receipt

Vancouver Public Library
Central Branch

Customer ID: ************1152**

Items that you checked out

Title:
  Octobre 1970 : dans les coulisses de
ID: 31383102057745
Due: September-08-17

Title:
  De quoi le Qu├®bec a-t-il besoin? : f
ID: 31383098837621
Due: September-08-17

Total items: 2
13/08/2017 1:13 PM
Checked out: 4

For renewals, due dates, holds,
and fines, check your account at
www.vpl.ca or call Telemessaging
at 604-257-3830

Access VPL anywhere, any time and
on-the-go. Stream or download
audiobooks,
magazines, movies, music and more via
your digital library. Free with your
VPL card at vpl.ca/DigitaLibrary

Please retain this receipt

Jean-François Mercier

Humoriste, scénariste et animateur

Si je me fie au monde qui m'accroche dans la rue, le Québec a besoin de cigarettes et de petit change !

Le Québec a besoin de tolérance et d'intolérance. Il aurait besoin de tolérance, d'être ouvert aux autres, d'être ouvert à la différence. Mais si on se fie à l'actualité, c'est comme devenu normal de fourrer le monde, et ça, il ne faut pas le tolérer.

Lucie Pagé
Journaliste, réalisatrice, auteure

Le Québec a besoin de beaucoup de magie.

Louise Latraverse

Comédienne, animatrice, directrice artistique
et metteure en scène

Le Québec a besoin de fraîcheur, de meneurs! Où sont nos meneurs? Où sont les meneuses charismatiques qui vont nous embarquer? On manque de chefs. Je veux un Bourgault, je veux un Lévesque! Je veux de ces êtres-là qui nous ont allumés, qui ont fait en sorte qu'on a voulu les suivre le temps qu'il fallait les suivre.

Roméo Dallaire
Sénateur

Je crois que le Québec a besoin d'écouter sérieusement ceux qui ont moins de 30 ans et qui perçoivent leur avenir et leurs ambitions en fonction de la globalité de la planète, de l'humanité, de l'environnement, des droits humains, des révolutions de communication, et dont le regard vis-à-vis de l'orientation politique est beaucoup plus émancipé que provincial.

Il a besoin, comme on dit, de la participation de la jeunesse.

Mais il n'a pas seulement besoin des jeunes pour les intégrer dans des ailes politiques de parti, il doit les intégrer dans l'entité politico-sociale de la province. J'irais même chercher l'activisme de ceux qui sont au cégep, un activisme qui reflète beaucoup plus les dimensions de leur futur que les soucis locaux qui semblent nous orienter.

J'ai souvent l'occasion d'aller dans les écoles secondaires, en quatrième et en cinquième secondaire, dans les cégeps et les universités, au Canada et aux États-Unis. Ça m'a amené à constater deux choses. D'abord, c'est que les jeunes sont pleinement conscients du potentiel incroyable de la révolution des communications. Et ils la maîtrisent. Dans ce contexte-là, pour eux, créer une mouvance, s'organiser ensemble, être capables d'établir une entité homogène de communication, c'est une question d'heures ! Et ça leur fait comprendre qu'ils possèdent une puissance que jamais nous n'avons eue auparavant. Parce que nous n'avions tout simplement pas ces instruments de communication !

Ensuite, c'est qu'ils ne sont pas restreints par l'immensité de la planète ou l'imperméabilité des frontières, parce qu'ils œuvrent dans un contexte qui n'a pas de frontières ! Par la révolution d'Internet et des communications, ils peuvent communiquer avec n'importe qui dans le monde, et ils le font. Ces deux volets-là leur donnent le potentiel d'influencer significativement, énormément la marche du monde.

Ce qui leur manque, par exemple, c'est la capacité de concentrer leurs efforts, de se donner un centre d'intérêt, parce qu'ils sont éparpillés dans leurs idées tellement il y a d'informations. Et c'est là que les générations précédentes peuvent aider... Je pense que les baby-boomers, ayant vécu une situation de post-guerre, etc., ont une perspective du monde... Je pense que les baby-boomers peuvent aider les plus jeunes à se donner une vision.

En 2017, ce sera le cent cinquantième anniversaire du Canada et le centième anniversaire de la bataille de Vimy, où le pays a payé de son sang sa place parmi les autres États-nations. Qu'est-ce qu'on planifie pour cette date-là ? Quelles grandes orientations le pays se donnera-t-il ?

Les jeunes sont capables de comprendre qu'il y a un besoin de communiquer avec toute l'humanité de la planète afin de lui permettre non pas de survivre, mais au contraire de profiter.

Les jeunes comprennent les droits humains. Ils comprennent l'humanité parce que, pour eux, c'est pas loin, ces affaires-là. L'humanité entière, elle est déjà représentée dans leurs classes ! Donc, ils sont capables d'aller au-delà du village, de la ville, du comté, de la province et même du pays.

Claude Villeneuve

Biologiste, spécialiste en sciences de l'environnement

Le Québec a besoin de cesser de se développer par pur opportunisme. L'opportunisme, c'est le fait de saisir toute occasion, tout de suite. On n'a pas la connaissance des ressources potentielles, on n'a jamais investi dans le développement des connaissances du pays. On dirait qu'on le fait prospecter par les autres. On attend de se faire développer par les autres. Et donc, on vit un développement de type bonbon. Quand tu proposes à un bonbon de le développer, c'est le début de la fin.

DE QUOI FAUT-IL SE DÉBARRASSER POUR ALLER DE L'AVANT?

À *Bazzo.tv*, une majorité d'invités expriment spontanément leur exaspération, leur colère et leur désarroi face à une situation qu'ils estiment bloquée, paralysante.

Donc, logiquement, il y a quelque chose qui fait obstacle. Des manières de faire ? Une paresse, un confort ? Des peurs ?

M.-F. B.

Anaïs Barbeau-Lavalette
Cinéaste, auteure

Il faut faire exploser le cynisme, mais comment? C'est quelque chose qui me rend triste depuis longtemps. J'ai toujours eu l'impression de faire partie d'une génération de cyniques, mais plus ça avance, plus je me rends compte que ce n'est pas juste ma génération! C'est tout le monde. Je trouve que c'est tellement une énergie «anti-vie»! Si ce n'est pas nous qui formons le moteur du changement, même si ça peut avoir l'air lourd ou utopiste, on se demande qui va le faire. Comment faire exploser cette espèce de regard «au-dessus de la vie»? Genre, je m'en extrais, je n'y participe pas parce que c'est vain. Je ne sais pas exactement.

C'est comme de la paresse intelligente... Il y a clairement quelque chose qui relève de la paresse, caché sous des airs intellectuels!

Camil Bouchard

Psychologue, ex-ministre

Il faut se débarrasser du chialage. Le chialage s'est répandu à peu près dans tout ce qu'on entreprend désormais au Québec. Je ne veux pas être nostalgique, mais quand même, quand on regarde d'où on est partis puis comment on a accumulé une richesse collective à travers les Caisses populaires (alors qu'avant on allait puiser dans nos bas de laine troués, qui sentaient le vieux chantier de bois!)... Ben mon vieux, c'est quand même un exploit assez extraordinaire. Mais maintenant, tu n'es même plus capable d'installer une éolienne nulle part.

Je reviens d'un séjour de trois semaines en Andalousie. J'ai visité des parcs qui sont composés d'au-delà de mille éoliennes chacun. J'ai vu des fermiers travailler autour de ça, avec leurs troupeaux, leurs vaches, leurs semences et toute la patente. Et je vais te dire : je ne comprends pas notre réaction vis-à-vis de l'éolienne.

On est devenus chialeux. On a développé cette incapacité d'entreprendre, en assumant des risques, en assumant un inconfort. L'inconfort dans le développement.

J'ai l'impression qu'il y a là-dedans une réaction intempestive à tout ce qui pourrait éventuellement venir changer le décor.

On peut avoir des conceptions bien différentes de l'esthétisme, de la beauté, mais franchement, entre un pylône électrique et un immense vire-vent comme une éolienne, moi, je choisis l'éolienne !

Je me rappelle très bien les reportages sur l'implantation des éoliennes près des zones habitées. Mais c'est quoi, près des zones habitées ? Parce que si c'est dans le fond du champ et qu'on voit l'éolienne, c'est bien différent que de l'avoir à cent mètres dans sa cour.

J'ai visité les parcs d'éoliennes en Espagne, et c'est vrai qu'à deux cents mètres, tu ne l'entends plus. Tu ne l'entends plus!

Il y a un chuintement quand tu es à côté. Mais à deux cents mètres, tu ne l'entends plus.

Bon, moi, je ne tolérerais pas ça à deux cents mètres dans ma cour. Il y a quand même des exigences. Mais il s'est installé dans la population québécoise une méfiance complète.

Or, ce n'est pas étranger au comportement de l'État.

Quand j'ai été député, j'ai eu affaire notamment au dossier Rabaska. C'est un exemple très clair de ce pourquoi les Québécois ont développé une méfiance envers leurs dirigeants.

Ça n'avait pas de maudit bon sens d'aller installer un port méthanier dans une zone aussi étroite de circulation maritime! Partout dans le monde, les gens disaient non à ce genre de choses. Tous les paramètres étaient contre-indiqués!

Mais il y avait là une volonté politique, locale et régionale, d'investir malgré tout... D'où la méfiance des citoyens.

Il faut retrouver notre capacité de développement, dans le respect des autres et de l'environnement, bien sûr. Il faut cesser de dire non continuellement à tout ce qui pourrait être nouveau.

On refuse l'innovation, on refuse le développement, c'est clair. Ça m'inquiète beaucoup. Ça prend des gens pour incarner cette capacité de se faire confiance. Parce que c'est ça qui nous échappe désormais. Quand on se méfie de notre État, c'est qu'on ne se fait plus confiance collectivement.

On a hérité ça de la Révolution tranquille, cette idée que l'État peut tout faire. Mais en même temps, on a hérité, durant les dernières années, de cette idée qu'on doit se méfier complètement de l'État. Donc, on est paralysés.

Les Québécois seraient outrés si on remplaçait 30 % des impôts par une augmentation des tarifs d'électricité.

À mon avis, c'est qu'ils feraient face alors à leur propre responsabilité. Demain matin, si tu remplaces 30 % des impôts par une augmentation des tarifs d'électricité, ça veut dire que ceux qui consomment abusivement seraient obligés de payer plus.

Il faut se débarrasser de la méfiance que l'on alimente envers nous-mêmes. Cette méfiance-là, on la reporte carrément sur l'État par les temps qui courent, et c'est une erreur majeure. Ensuite, il faut reconnaître ce qu'on fait de mieux puis se le redire constamment. Et ne pas simplement admirer nos réussites les plus spectaculaires et les plus probantes, mais aussi nos réussites les plus souterraines, qui sont les plus durables.

Quand je regarde par exemple le taux de violence avec homicide au Québec, si je le compare à celui du Canada, je constate qu'il lui est deux fois inférieur, puis trois fois inférieur à celui de l'Alberta !

L'autre truc, à mon avis, qui devrait nous nourrir dans notre capacité de nous reconnaître une certaine beauté, c'est notre résistance culturelle.

Bon, ça a l'air mélo comme ça, mais reconnaissons-le comme un fait : on a réussi, durant toutes ces années, non seulement à défendre notre culture, mais à la renforcer, à la développer puis à la diffuser dans un environnement qui, au point de départ, n'est pas très accueillant pour une culture comme la nôtre. Une culture minoritaire, francophone, incompréhensible pour bien du monde en Amérique du Nord !

La culture américaine est très lourde, très forte, mais ils n'ont même pas réussi à éliminer notre poutine ! Au contraire, ils l'adoptent !

Mais on a un puissant rattrapage à faire en matière de perception. Et je ne sais pas comment on peut y arriver.

Il me semble qu'il y a un effort considérable à faire, notamment en ce qui concerne l'éducation de nos enfants. Cette différence culturelle, et notre identité, ne doit pas servir seulement à se rassembler, mais doit servir à... comment je dirais ? À se ressembler.

Je me dis que ça nous prendrait un ministère de la Culture et de l'Éducation, les deux ensemble, réunis. Qu'à l'école les enfants apprennent nos grands classiques. Qu'ils apprennent d'où on vient. Qu'ils retournent à Voltaire, puis qu'ils retournent à Chateaubriand, qu'ils retournent à Lamartine, qu'ils retournent à Hugo et qu'ils voient d'où on vient, de quelle cuisse culturelle on émane, sacrebleu ! Et ce qu'on a fait avec !

Et comment on a réussi à imprégner l'Amérique du Nord de notre présence, et comment on a réussi à construire chacune de nos régions autour de ces ressources immatérielles.

Mais tant qu'on n'aura pas compris ça et qu'on n'aura pas introduit, réintroduit, une éducation d'appartenance à une culture, on n'y arrivera pas. Parce qu'on ne dépolitisera pas l'appartenance.

Mais attention ! J'ai toujours dit « dans *mes* cultures ». Je me suis même fait chahuter dans une assemblée politique dans mon comté où j'avais dit : « Le Québec appartient à ceux qui sont arrivés il y a quatre cents ans et à ceux qui sont arrivés il y a quatre minutes. »

Dany Laferrière
Écrivain

Le Québec n'est pas et ne devrait pas se conduire comme s'il était une île.

On dit beaucoup *nos* valeurs, tout est «nos». Comment ça se fait qu'il n'y a pas d'observateurs pour nous dire: «Vous savez, il y a tel nombre de pays sur la carte, qui ont des drapeaux et qui ont fait ceci, ceci, ceci, ceci... et ça fait la quatre-vingt-sixième fois qu'on fait ça.» Ça pourrait nous mettre dans le circuit du monde plutôt que de nous insulariser, comme si on était des exceptions.

C'est ça que j'appelle l'aspect insulaire. On est sortis du village pour devenir le village global tout seul. Le Québec est devenu un village global tout seul!

Ce n'est pas mieux. C'est même plus arriéré, je crois, que le village avec des rangs, parce que, précisément, c'est une chose qu'il est tout à fait possible de régler. On a des postes d'observation, un observatoire à l'université, pour étudier les États-Unis, la démocratie... Il nous faudrait un poste d'observation pour étudier les exagérations [rires] du Québec!

Les journalistes peuvent se mettre à faire ça pour que la société puisse en bénéficier parce que ce n'est pas mauvais d'être trois cent quatre-vingtième au monde!

Je crois aussi, et je le dis mille fois avec Montaigne, que les questions politiques et sociales sont des questions de grammaire: il faut nettoyer le vocabulaire. Parce que tout mensonge qui peut se dire carrément, publiquement, va être accepté, et tout le monde le répétera.

Je me souviens, en Haïti, il y avait cette mégalomanie. Le type dit: «Moi, je suis le seul à posséder cette montre. Y'en avait un autre, mais le type est mort, et il a demandé à être enterré avec la montre. Donc, je suis le seul sur le sol d'Haïti à avoir cette montre.»

Quand le mensonge devient national, ça permet à l'individu lui-même de construire sa vie sur un mensonge.

Et le pire, c'est qu'on n'en a pas besoin socialement, économiquement, culturellement, linguistiquement. On est dans une période qu'on peut qualifier d'immobiliste. Mais, il faut dire, l'immobilité n'est pas toujours mauvaise. Ça dépend sur quel plan on est immobile.

Ici, la notion d'identité couvre tout, c'est un fourre-tout qui nous empêche de séparer le plan pratique du plan théorique. C'est-à-dire qu'on peut, par exemple, ne pas avoir de relations idéologiques avec le Canada, de rapports de colonisation, etc., mais rien n'empêche que, sur le plan pratique, ça soit réglé. Un mensonge nourrit l'autre. Les jeunes répètent des mensonges sur le Canada, par exemple. Il faut arrêter.

Les États-Unis sont devenus une très grande puissance du monde parce que, à l'extérieur, on a menti sur les États-Unis. Le mensonge leur a laissé la voie libre. Pendant longtemps, on a dit que c'était le pays le plus inculte au monde. Jusqu'à ce qu'on apprenne qu'il y a deux mille universités aux États-Unis, que plus de 60 % des Prix Nobel viennent des États-Unis, dans les sciences et ailleurs.

Et là, on a étudié et on a appris qu'on avait inventé des États-Unis qui n'étaient pas réels.

Les États-Unis, c'est la première puissance impériale au monde qui exporte ses déchets et consomme ses produits de luxe! À New York, les gens mangent bien, ils ont le vin français le meilleur et ils exportent le Coca-Cola! Alors qu'avant une puissance impériale ou coloniale exportait ses bons produits pour se faire admirer et consommait ses mauvais produits.

Nous aussi, il faudrait qu'on arrive à clarifier les choses. Veiller à ce que le jeune Québécois ne continue pas à répéter des stupidités sur le Canada. Qu'il aille *voir*. Que chaque fois que quelqu'un dit quelque chose du Canada, on lui dise : «Quelle ville connaissez-vous vraiment, où êtes-vous allé?»

Il faut arrêter de prendre des têtes de Turcs. Par exemple, on dit : « En Alberta, ils doivent être analphabètes, ils doivent boire du pétrole au lieu du lait, tout le monde doit être millionnaire et puis tout ça... »

Arrêtez de répéter des choses. Allez voir. Parce que ce n'est pas normal que vous ne connaissiez pas le lieu avec lequel vous avez la plus longue frontière. Ça n'a aucun sens et ça dit quelque chose de ce que nous sommes. Nous pouvons continuer la discussion idéologique, mais arrêter de la mêler avec la question pratique.

Guy Rocher

Sociologue

Il faut se débarrasser d'une certaine myopie politique. En ce moment, nous sommes myopes.

Je trouve que les grandes discussions politiques sont très à court terme.

Et puis, je pense qu'il faut aussi nous débarrasser de notre complexe minoritaire. Complexe minoritaire double, complexe minoritaire de francophone, ou de Canadien français, comme on le disait autrefois, et aussi de Québécois dans le reste de l'Amérique du Nord. Il nous faut prendre conscience que, d'abord comme francophones, nous sommes une majorité, et encore comme Québécois, nous sommes une singularité en Amérique du Nord. Et non pas une minorité dans un ensemble.

Ce que, pour ma part en tout cas, j'ai reproché au rapport Bouchard-Taylor, c'est de revenir avec ce complexe minoritaire comme interprétation principale de nos comportements.

Depuis trente ou quarante ans, je crois pourtant que l'évolution est allée dans l'autre sens. C'est-à-dire que nous avons évolué dans le sens d'une prise de conscience de constituer un groupe majoritaire et une société particulière.

J'aimerais bien aussi qu'on se débarrasse de la monarchie, mais ça, c'est une autre affaire. J'ai honte de notre monarchie. Je n'ai pas honte de la reine elle-même, mais j'ai honte de l'institution coloniale… Trudeau n'a pas achevé son travail quand il a rapatrié la Constitution. Il aurait fallu qu'il le fasse au complet. Je trouve qu'il serait temps de passer à autre chose.

Djemila Benhabib
Auteure, ex-journaliste

Le Québec doit se débarrasser de ses peurs, principalement, fondamentalement. Il doit se débarrasser de ses peurs, il doit grandir et il doit assumer ce qu'il est.

Nous avons vu l'exercice de la commission Bouchard-Taylor. Nous avons vu un engouement de la part du Québec en entier de bout en bout. Nous avons vu des gens dire à quel point ils étaient attachés au principe de l'égalité. Nous avons vu des gens dire qu'ils étaient heureux de recevoir des gens qui viennent d'ailleurs, mais sur des bases précises. Nous avons vu un premier ministre qui dit que le Québec doit s'articuler autour de trois valeurs fondamentales et qui sont les suivantes : l'égalité, la laïcité et le fait français. Et nous ne sommes même pas capables de légiférer par rapport à ça !

Nous ne sommes même pas capables de défendre ce minimum-là. Nous avons un problème à défendre ce minimum-là.

Nous avons vu apparaître à la commission Bouchard-Taylor deux visions qui s'affrontaient : la vision d'une grande majorité de Québécois qui se sont exprimés avec leurs mots, leurs inquiétudes, leurs espoirs ; et une autre vision, celle des commissaires, celle qui a été portée par les deux commissaires et qui affichait un certain mépris par rapport à la grande masse. On a vu la fracture. On a vu à quel point la fracture était grande entre les bien-pensants et les citoyens du Québec.

On refuse à monsieur et madame Tout-le-monde de penser parce que, eux, ils n'ont pas besoin de penser. Parce qu'il y a des gens qui sont faits pour ça. Ce sont des penseurs. Eux, ils vont penser pour nous. Et nous, finalement, nous ne sommes là que pour appliquer leurs pensées. Parce que, écoutez, on a reproché aux gens de penser ce qu'ils pensent. On était rendus à ce point-là.

Monsieur Bouchard l'a dit à quelques reprises : «Non, vous ne pouvez pas dire ça ; non, vous ne pouvez pas penser ça.» Alors que son rôle principal, c'était d'écouter ! Et il est sorti de ce rôle à plusieurs reprises, ils sont sortis, et l'un et l'autre, de ce rôle pour établir le cadre dans lequel nous devions nous exprimer.

Or, le cadre, on le définit ensemble. C'est ça, une société démocratique, et le peuple n'est pas un figurant dans cette équation-là. Le peuple doit jouer un rôle central. Malheureusement, nous n'avons pas vu cela.

On a validé une opinion et on a estimé que c'était la seule opinion valide et la seule opinion qui méritait d'être prise en compte. Il y a un déni de démocratie.

La démocratie, c'est tenir compte d'un ensemble d'opinions. Et c'est là que c'est intéressant. On tient compte d'un ensemble, il y a une dynamique et on voit quels sont les arguments des uns et des autres. Et c'est à partir de là que l'on peut articuler un projet de société.

Alors que là, on a eu l'impression (et je n'ai pas été la seule à avoir eu cette impression) qu'on essayait de nous imposer une façon de voir et c'était celle de la laïcité ouverte, qui a été reprise par le gouvernement de Jean Charest.

Dans la vie d'un peuple, il y a des événements qui sont extrêmement révélateurs. Et qui en disent long sur notre état, sur notre état d'esprit et sur notre degré de réflexion, d'avancement, d'inquiétude.

Et ce moment clé, depuis une dizaine d'années, ça a été vraiment la commission Bouchard-Taylor. C'est-à-dire, ça a été non seulement un événement qui a suscité l'intérêt de tout le monde, mais aussi ça a été le dévoilement d'un problème. On a vu à quel point le fossé était grand.

Tiens, intéressons-nous aux universités un moment. Vous savez, malheureusement, dans les universités, lorsqu'il est question de sciences sociales, lorsqu'il est question de philosophie, il y a un courant de pensée qui est extrêmement dominant. Et dès lors qu'on ne «cadre» pas, eh bien, on ne peut pas prétendre faire, par exemple, un travail de maîtrise dans les règles de l'art, on ne peut pas prétendre avoir une bourse pour quoi que ce soit. Dans une société, l'université est quand même un espace de réflexion! Un espace où se confrontent les idées! Or, je réalise de plus en plus que, dans les universités québécoises, malheureusement, on ne fait pas cet exercice-là. On ne confronte pas les idées.

Moi, ce qui me fait peur en gardant les yeux sur l'Europe, c'est la montée des mouvements d'extrême droite. C'est la montée des mouvements populistes. Parce que, chaque fois qu'il y a un vide, chaque fois qu'il y a un écart qui se creuse, extrêmement profond, entre les «élites» et le peuple, chaque fois qu'il y a un malaise, chaque fois qu'il y a des brèches, il y a malheureusement des courants populistes, des courants d'extrême droite, qui viennent se glisser là-dedans. D'où mon inquiétude. Et d'où mon goût de m'impliquer.

Je ne veux pas que le Québec en arrive là. Parce que je sais que les dégâts, dans les autres sociétés, et en particulier dans les sociétés européennes, sont énormes.

Et moi, je trouve que nous avons fait un chemin absolument extraordinaire. Le Québec s'est épanoui de plusieurs façons. Le Québec a eu de magnifiques réalisations. Alors je me dis, il faut continuer! Nous sommes à l'étape des choix. Il faut choisir. Et pour choisir, il faut être adulte. Et le problème, c'est qu'on est dans ce refus de choisir.

Christian Dufour
Politologue

Il faut se débarrasser de ces antidépresseurs dont nous sommes devenus des consommateurs records au plan individuel (comme les Français en Europe!) mais aussi au plan collectif par ce réflexe débilitant du « tout à l'État » et de la déresponsabilisation systématique des citoyens qu'il suppose et accentue.

Il faut se débarrasser de ce désir en partie obsessionnel de « bonheur » qui camoufle mal le droit imaginaire de satisfaire immédiatement et à tout prix nos besoins les plus futiles. Il faut se débarrasser de ce désir mégalomane chez certains de sauver la planète qui camoufle en partie la perte de contrôle du Québec sur lui-même.

Evelyne de la Chenelière
Dramaturge, auteure

Il faut se débarrasser de cette espèce d'excès de spontanéité… Ces excès, en fait. Des excès de spontanéité qui sont principalement faits de cynisme et de mépris déguisé.

Pour moi, ce sont, sur la place publique et dans les écrits, des impostures, parce que ce sont des prétentions à la réflexion. Pour moi, c'est l'inverse de la réflexion. C'est une espèce de geste cynique, méprisant, qui a la prétention de mettre en lumière le vide de nos existences ou l'absurdité de nos systèmes. Mais, finalement, au bout du compte, ça crée encore une fois beaucoup de bruit et très peu de réflexion. Et c'est un empêchement à avancer, c'est un empêchement à l'élévation à laquelle on pourrait prétendre comme individu et comme société.

Marc-André Cyr

Doctorant en sciences politiques, militant

Il faut dynamiter la droite, au sens théorique, idéologique, bien entendu. Cette espèce de droite qui se dit décomplexée. Et en passant, je n'ai absolument rien contre le fait d'être décomplexé, c'est très bien de se décomplexer. Il faut faire une thérapie pour se décomplexer.

Mais le problème avec cette droite radicale-là, c'est qu'on dirait que c'est le doc Mailloux qui leur a fait faire leur thérapie. Ils sont assez schizophrènes. Et puis d'ailleurs, elle ne pourrait pas faire autrement que d'être schizophrénique, cette droite-là, parce qu'elle ne peut pas affirmer haut et fort quels sont ses objectifs, ses intérêts, les intérêts qu'elle défend. Elle ne peut pas se vanter dans l'espace public de défendre la haute finance, les multinationales du pétrole, l'industrie militaire. Donc, elle se cache derrière un discours de victimisation hautement pathétique. Et elle se cache aussi derrière l'anecdote, le sophisme, le mensonge.

Elle crée elle-même des hommes de paille auxquels elle met elle-même le feu.

Par-delà ce ménage élémentaire qui nous aiderait énormément à évoluer intellectuellement et collectivement, je pense que le Québec, comme dirait certains, a besoin de changements assez qualitatifs, radicaux, drastiques.

Pour mettre la province à l'endroit, je pense qu'il faut littéralement la virer à l'envers.

La province stagne, comme au temps de Duplessis. Je vois vraiment beaucoup de parallèles. On est une société qui est tout aussi croyante que nos grands-mères et nos grands-pères canadiens-français l'étaient à l'époque. Ils croyaient en l'Église, on croit en la marchandise, en l'argent. Ce n'est pas plus rationnel que l'étaient les cantiques du saint sacrement ou les prières de nos grands-parents.

Le capitalisme, ce n'est pas un système qui vise à produire de la richesse réelle. Ça produit de la richesse abstraite, c'est-à-dire de l'argent. Puisque cette valeur-là est abstraite, elle peut tout laminer sur son passage : l'environnement, les êtres humains.

Cette logique d'accumulation fait violence au réel en lui imposant sa propre logique. C'est de cette croyance-là qu'il faut se débarrasser.

Les chrétiens devaient se débarrasser de leur bon Dieu, leurs bondieuseries. Pour nous, c'est un peu la même chose.

Cette croyance dans la croissance, dans le sacrifice du travail… on sacrifie tout sur l'autel du profit. La culture, le génome humain, les rivières, etc. Cette croyance-là, c'est la première dont il faut se débarrasser, d'après moi.

René-Daniel Dubois
Écrivain, dramaturge

Bon, je suis quelqu'un de gauche. Ce n'est pas une formule. Pour moi, être de gauche, ça ne veut pas dire être gentil. Ce n'est pas synonyme.

Je pense qu'à la base tous les êtres humains naissent égaux. Je crois qu'une société a le devoir de refléter ça dans la réalité. D'aider les gens qui viennent au monde dans des conditions plus difficiles. Les aider à réaliser leur potentiel dans la vie, pour leur bien individuel et pour le bien de la société. Les deux, mais dans cet ordre-là. D'abord individuel, ensuite de la société.

Ça fait des décennies que le Québec se dit de gauche. Et je le savais déjà dans les années soixante-dix quand j'étais à l'École nationale, que ce n'est pas vrai. Il y a eu toute une affaire de faux-semblant, où les gens prétendaient tous qu'ils étaient de gauche. Et là, maintenant, on commence à voir apparaître des gens qui disent: «Au fond, non, je n'ai jamais été d'accord avec ça.»

Et ça veut dire que, pendant toutes ces années-là, il y avait des pans de la réalité qui n'étaient pas évoqués de manière juste. Alors, les gens, ça leur a fait péter les neurones!

Paul Saint-Pierre Plamondon
Avocat, président de Génération d'idées

Il y a aussi la crise du mot *solidarité*. Et là, je vais être méchant avec des gens que j'aime. Je me fais souvent taxer d'être à droite. J'ai une éducation qui est relativement à droite : McGill en droit, Oxford au MBA, homme d'affaires, je suis toujours en veston !

Je pense que le concept de solidarité est intimement lié au service collectif. Je pense qu'il est fondamentalement québécois. Je pense qu'il est essentiel. Je pense malheureusement que les porte-étendards, que les porte-parole du mot *solidarité*, ont trahi le concept, et qu'en ce moment ils ne sont pas capables de le vendre à ma gang.

Solidarité, ça veut dire que l'intérêt individuel n'est pas le seul critère décisionnel. Qu'une société ne fonctionne pas quand chaque individu tente d'extirper tout ce qu'il peut au détriment des autres. Que l'intérêt collectif et le fait que tu appartiennes à une collectivité t'amènent à dire : « Moi, je joue pour l'équipe. »

Jouer pour l'équipe : c'est ça, la solidarité. Et l'équipe joue contre plusieurs bonnes équipes sur le plan économique et international. Connaissez-vous des équipes gagnantes où on triche et on se chicane constamment entre coéquipiers ?

Dans le cas qui nous occupe, l'équipe est une société, ce sont les intérêts collectifs, intérêts d'autrui.

Historiquement, les porte-parole de ce concept-là, ce sont les syndicats, dans un rapport de force entre le patron et une masse qui veut lutter afin d'améliorer les conditions de la majorité en termes de santé et de sécurité, en termes de salaire et tout ça… Les syndicats ont utilisé ce concept-là à juste titre.

Ce n'est plus le cas le jour où ils disent : « En fait, la solidarité, c'est pour les gens âgés de tel âge à tel âge. Toi, tu viens d'arriver, écrase. »

Ce n'est plus le cas le jour où tu dis : « Oui, la solidarité sert à protéger du laxisme et de la corruption, mais on gère ça comme une multinationale ! » Ce jour-là, tu n'es pas mieux que ceux que tu dénonces.

Alors quand tu vas voir la gang de jeunes et que tu leur dis : « Heille, solidarité, les jeunes ! », tu as une crise du mot *solidarité*.

Parce que c'est qui le porte-parole, rendu là ? Qui va mettre de l'avant ce concept essentiel-là ? Et quand je dis ça, j'ai l'air d'un matamore à droite. Ce n'est pas ça que je suis.

La gauche, la droite… Si on dit que l'intérêt collectif et l'intérêt individuel doivent être balancés et qu'il faut, comme collectivité, maximiser notre bien-être en général, le test n'est pas difficile à appliquer.

La droite des conflits d'intérêts, c'est des corporations qui brandissent l'économie ou d'autres excuses et qui font aller leurs contacts politiques au maximum pour maximiser leurs intérêts privés. Ça, c'est la droite, la fausse droite. Ça ne veut pas dire qu'il faut négliger l'économie pour autant.

La fausse gauche fait un peu la même chose. Elle dit : « Au nom de la solidarité, au nom du concept noble », mais en fait elle maximise ses intérêts privés, puis joue la même *game* que l'industrie. Ce qu'on appelle « la prédation de l'État » dans le livre de John Kenneth Galbraith. Ça ne veut pas dire qu'il faut négliger la solidarité pour autant.

Et l'intérêt collectif dans le processus décisionnel est complètement rincé parce que le politicien, pour se rendre en poste, doit jouer ce jeu de prédation et se positionner en fonction de ces intérêts privés-là.

Le citoyen, alors, se rend bien compte qu'il n'y a aucune notion d'intérêt public là-dedans et, donc, il décroche du collectif, décroche du service public. C'est ça, le diagnostic général.

Luc Ferrandez

Maire d'arrondissement, Plateau-Mont-Royal

Je trouve qu'on a arrêté d'avancer quand on s'est tous refermés sur nos besoins individuels, en se disant : « Moi, j'en ai marre de la dysfonction de la ville, de la dysfonction, de la pauvreté, de la soumission à l'Église, etc. Je vais m'en sortir tout seul. »

Les Italiens sont comme ça. Ils ont complètement saboté l'État, ils ont saboté complètement, bien plus que nous, l'environnement, les paysages, les villages… Le moi, moi, moi…

Il y a un lien à faire avec l'automobile. Les Italiens, c'est le peuple le plus motorisé du monde. C'est le pays où il y a le moins de transports en commun. Ils ne sont même pas capables de mettre des voies réservées sur les autoroutes, parce que les automobilistes les envahissent.

On a perdu l'envie de régler des problèmes collectifs, de façon collective. Moi, je pense qu'il faut recréer des *hobbys* de communauté.

Va visiter l'église Saint-Jean-Baptiste. Vas-y, mets-toi dans le milieu de l'église, puis là, braille, tabarnak. Braille !

L'extérieur n'est pas terrible, mais l'intérieur, c'est un temple de beauté. C'est deux mille huit cents places. Ça devait valoir, au moment où on l'a construite, 15 % de la valeur immobilière du Plateau.

Et après, on en a construit d'autres : Saint-Stanislas, Saint-Pierre-Claver et compagnie. On a mis tous nos œufs dans le panier collectif à deux niveaux : la famille et l'Église. Et quand ça s'est effondré, quand l'Église et la famille ont foutu le camp, on n'avait plus aucune habitude collective.

Je pense par exemple aux États-Unis, où le *high school* américain, c'est un *hobby* de communauté. Les gens s'impliquent dans les *high schools*, il y a l'équipe de football, puis l'école de musique, puis l'école de danse, puis le bénévolat autour de l'Église.

Je ne veux pas parler contre les curés. Moi, j'ai des réunions avec les curés dans le quartier, je les adore. Et ce sont des gens beaucoup plus progressistes qu'on pense. Mais je regarde l'Église américaine, avec les *community centers*, les camps de ceci et de cela... Ils ont créé quelque chose, il y a une vie communautaire. Il y a des équipements collectifs.

Regarde ce qu'on a fait à nos paysages et à nos lacs. Prendre des vacances au Québec, c'est avoir un chalet sur le bord du lac. Si tu n'as pas de chalet sur le bord du lac, *good luck*.

Un Européen qui veut visiter les lacs, pas capable. Il n'y a pas d'équipements collectifs balnéaires. On a détruit nos paysages à force de vouloir construire des routes qui nous amènent à des lieux de consommation individuelle de la nature. Le chalet, le camp, la patente perdue dans le bois où tu es tout seul...

Et la phrase type, c'est: «Je suis bien, je ne vois pas mes voisins!» Mais dans un village italien, tu es bien puis tu les vois, tes voisins! Puis dans un village provençal, tu es mauditement bien, puis tu les vois, tes voisins.

Puis Intrawest est venu nous fourrer toute la gang, fourrer tous les entrepreneurs du Québec en construisant des condos, les uns par-dessus les autres, qui valaient trois fois le prix des chalets qu'on construisait avant. Et c'est un modèle de développement, ça?

C'est un modèle de développement de création de la richesse: on va rapprocher les skieurs de la pente de ski. Nous autres, c'est le contraire. Il faut qu'on soit le plus loin possible les uns des autres et tout va bien aller. Puis si on veut être le plus loin possible les uns des autres, c'est parce que ça allait mal les uns avec les autres.

Dans la pauvreté des appartements, écrasés les uns sur les autres, dominés par une Église médiocre parce qu'on était analphabètes, c'est clair que ça allait mal. Alors on s'est dit : « On va trouver la solution tout seul, *that's it*. C'est de la marde, puis moi, je vais trouver la solution tout seul. »

Mais maintenant, il faut retrouver des solutions collectives. Il faut se réinvestir dans le collectif.

Moi, je te dirais que même la relation de couple fait partie du collectif.

Écoute, les gars ne *cruisent* plus les filles au Québec ! C'est le début du collectif, ça ! C'est vrai ! Tout le monde est sur son île, plus personne ne se fait confiance. On ne sait pas comment parler. On ne sait pas comment se parler.

Moi, je roule à vélo en Espagne. Tu arrives dans un village, puis il y a une petite place publique. Tout le village est sur la place publique et ils se parlent. Puis en Italie aussi. Tout le monde sort, puis tu ne sais pas d'où. Les mères aux bras de leurs filles, les mères de 80 ans aux bras de leurs filles de 60 ans. Les enfants qui viennent jouer sur la place publique. Tout le monde a envie d'être ensemble et a envie d'être là.

Nous, on a détruit les équipements qui nous permettraient d'être ensemble. On n'a plus de place publique, on a détruit nos quartiers, on a détruit nos villages. Les villages québécois intéressants, il en reste combien ? Je parlais de ça à Hugo Latulippe [ndlr : cinéaste québécois et citoyen engagé], il disait : « Maudit, dans tous les villages de la Côte-Sud, la 132 passe au milieu. »

Il n'y en a plus de village. Il reste Bellechasse, il en reste cinq, six. Mais on n'a plus d'endroit pour se rencontrer, pour vivre, pour… À commencer par la rencontre.

On parlait avant de la joie de vivre des Québécois. Je te signale qu'à Toronto ils font dix fois plus le party que nous. Des partys, ça fait-tu longtemps ? Moi, ça fait longtemps que je n'ai pas été invité à un party, et ce n'est pas parce que j'ai mauvais caractère !

Je suis invité toutes les semaines à des partys politiques, mais des partys comme on en faisait avant, où tout le monde se rassemble, pis on a du fun ensemble ? Hum.

QUAND, COMMENT, POURQUOI LE QUÉBEC S'EST-IL IMMOBILISÉ ?

Y a-t-il un moment où nous avons cessé de rêver ? Cela est-il arrivé progressivement ? Ou, au contraire, des événements politiques, sociaux sont-ils autant de jalons, de marqueurs historiques ?

D'un point de vue générationnel, comment les X et les Y évaluent-ils l'héritage de la Révolution tranquille, menée par les parents des baby-boomers ? Notre rapport erratique à notre histoire nous prive-t-il d'outils pour bien envisager notre situation actuelle ? Notre méconnaissance nous fait-elle répéter les erreurs du passé ou oublier ce qui a déjà fonctionné ?

M.-F. B.

Kim Thúy

Auteure

Tu vois, c'est là que je me sens immigrante. Mais c'est peut-être depuis qu'il y a eu l'exode. Peut-être. Depuis qu'on a installé la peur autant chez les anglophones que chez les francophones, peut-être.

J'ai l'impression que c'est depuis ça. Mais avant, je n'étais pas ici. Donc je ne pourrais pas te parler d'avant. Je peux juste te parler d'après. Je suis arrivée en 1979. Et puis en 1979, je ne parlais pas français, j'avais 10 ans, donc je ne comprenais pas grand-chose. Mais je pense que c'est un tournant pour le Québec. Et le rapport ou la relation entre les deux...

Parce que le discours, le discours politique à ce moment-là, dans les années quatre-vingt-dix en tout cas, n'incluait pas les allophones. On n'incluait pas les enfants de la loi 101. Et c'est ça le paradoxe de la chose. C'est qu'on nous a élevés comme des nouveaux francophones, des enfants de la loi 101. On a fait de nous des enfants québécois. Pour moi, je n'ai jamais été immigrante. Je suis une enfant adoptée ici... mais, quand les questions essentielles ont surgi, on ne faisait plus partie de la famille.

Je pense que le Québec s'est immobilisé depuis que l'argent est parti. Parce que je pense que c'est encore l'argent qui fait bouger. Si on regarde Toronto aujourd'hui, ils osent miser sur l'architecture. Ils osent miser sur des projets qui sont hors norme, et s'ils les ratent, ce n'est pas très grave parce qu'ils en ont d'autres. Alors qu'au Québec, on n'ose pas miser sur des projets architecturaux qui sortent un petit peu de la norme.

Marc-André Cyr
Doctorant en sciences politiques, militant

Je sais que je vais déplaire à plusieurs en disant ça, mais le commencement de la fin, c'est avec l'élection du PQ en 1976, qui marque la fin des luttes populaires. On passe des luttes de la rue à l'Assemblée nationale.

C'est la fin du rêve de l'indépendance, l'indépendance est remplacée par ce concept plus ou moins creux de souveraineté-association. C'est la fin du rêve socialiste aussi, pour une espèce de social-démocratie. Mais bon, le Québec est encore sur son élan de la Révolution tranquille jusqu'en 1980. Puis là en 1980, bon, je suis d'accord avec l'ensemble des gens pour dire que l'échec référendaire crée une certaine fissure. À partir de ce moment-là, on entre définitivement en régression.

Depuis trente ans, le Québec voit ses salaires stagner, des conditions de vie qui en prennent un coup, le démantèlement des services publics, la hausse des frais, des coupures en santé, des coupures en éducation. Bon, on connaît la chanson, tout pour plaire aux investisseurs.

Et j'ajouterais aussi une montée de la xénophobie envers les musulmans, et autres dérives sécuritaires. Et le référendum de 1995, qui portait sur la sous-souveraineté-association. Et ça a été un échec aussi.

Donc, depuis trente ans, les seuls projets que moi, en tant que jeune homme de début trentaine, les seuls projets que j'ai vus pour le Québec, ce sont ceux qu'on a appelés *le déficit zéro, la réduction de la dette, l'assainissement des finances publiques.*

C'est assez pour déprimer n'importe qui… C'est ça, nos projets?

Donc le Québec, très rapidement, est passé d'une société attachée à l'Église à une société qui se fonde sur un projet d'État social-démocrate, voire socialiste, à une

93

société qui ne s'attache plus à rien du tout. Nous sommes désormais liés par le vide. Il n'y a plus de communauté, il n'y a plus de peuple, il n'y a plus de classes sociales, bien entendu. Il n'y a que des individus déliés les uns des autres, séparés les uns des autres, réunis par le droit et le contrat.

Et quand notre nouvelle droite nous dit que le Québec vit encore sous l'empire de la gauche, il faut comprendre que c'est un vaste mensonge. On vit sous l'empire de la nécessité. C'est ça le drame. C'est la crise de sens. C'est peut-être encore plus important que les crises économiques ou même que la crise écologique. C'est la crise de sens. On vit sous l'empire de la nécessité. Il n'y a plus rien qui tienne la route. La raison, le bien, le mal, mais aussi la beauté, la créativité, l'honneur, le repos, la liberté, sont tous soumis à cette loi pratiquement divine, qui est celle de l'accumulation de profits. Donc aujourd'hui, ce n'est plus la société qui doit être au service du bien commun et de la raison, c'est plutôt le contraire. C'est le bien commun et la raison qui sont au service, qui doivent se plier aux impératifs de la rationalité marchande.

On ne vit plus dans une société qui vise le meilleur pour chacun, mais qui vise le moins pire pour l'ensemble.

La Société du moins pire… Si on s'en allait vers le mieux, ce ne serait déjà pas si mal. Mais comme on assiste à des crises écologiques, à une concentration de la richesse, à une augmentation de la pauvreté, bien, en préférant le moins pire, on s'enfonce tranquillement pas vite, lentement mais sûrement, dans des crises qui promettent d'être encore plus violentes.

S'il y a un espoir, il est mince, mais il va falloir attacher notre tuque avec de la broche et prendre nos responsabilités et recommencer à se mettre en mode combat.

Paul Saint-Pierre Plamondon
Avocat, président de Génération d'idées

Ce que je constate, c'est qu'il y a eu un élan entre 1957 et 1967. En 1957, c'est les premiers intellectuels qui commencent à prendre des risques. Ils disent : « Moi, je suis au *Devoir*, je suis à la faculté des sciences sociales à Laval, je suis n'importe où, puis Duplessis, ses magouilles, je suis plus capable. Tu me menaces de perdre ma job, mais je publie pareil. Ça, c'est de la corruption ; ça, c'est un nonsens ; ça, c'est un étau ; ça, c'est inacceptable. »

Il y en a qui perdaient leur job, il y en a qui tombaient au combat. Pourtant, un peu comme dans les révoltes populaires du printemps arabe, les gens continuent, ils n'ont pas peur. 1960 : *C'est le temps que ça change.* Puis 1962 : *Maîtres chez nous.*

C'est, pour moi, l'apogée. Expo 67, le Québec est capable, le Québec est beau, le Québec est fin puis le monde s'intéresse au Québec.

Et après ? Le scandale de la viande avariée, le scandale de la construction du Stade olympique avec les travailleurs et les camions qui *punchaient* quarante fois.

Je ne vois rien dans les années soixante-dix à part la question nationale, qui est d'intérêt, en termes de rendement social et de rendement économique du Québec. Je suis peut-être trop sévère.

Je pense que l'époque dorée, l'époque qui me fait rêver, prend fin en 1967.

Mais je pense que la réponse honnête à ça, c'est que ça n'arrêtera jamais, ces combats-là. Tout le temps et pour toujours, et qu'on se le dise au Québec, toujours l'intérêt collectif va être menacé par les intérêts privés. Ça va toujours être vrai. De la même manière que le vol sera toujours vrai et que le code criminel et la police auront leur raison d'être, c'est la même affaire.

On peut se poser beaucoup de questions puis essayer de faire un diagnostic hypothétique sur ce qui s'est passé en 1967 puis en je ne sais pas quelle année, je n'étais pas né *anyway*. Donc la pertinence de ce que j'ai à dire, la valeur de ce que j'ai à dire, c'est un ensemble vide. Ce qu'on peut dire, par contre, c'est que les sociétés qui atteignent un rendement économique et social parmi les plus élevés au monde ont cette faculté de défendre les intérêts collectifs aux dépens des intérêts privés, et d'assurer par le fait même une gouvernance stratégique et éclairée.

Je te dirais que le manque de finalité ne vient pas du modèle de la croissance économique lui-même. Il vient du fait que ce qu'on s'encourage à faire, comme jeune professionnel ou jeune qui embarque sur le marché du travail, c'est de maximiser son bien-être individuel sans égard pour la collectivité. Or, je suis convaincu que l'être humain n'est pas comme ça.

La maximisation des droits des avantages et de la richesse individuelle est saine, mais elle a ses limites en termes de nature humaine. Et la fragmentation du Québec en groupes de pression, en clans, a conduit à se replier vers cette maximisation-là, en disant : «Au moins, moi, j'ai ma famille. Ça, j'ai un contrôle dessus, puis si je le maximise, bien, le reste qui n'a pas d'allure, ou le reste qui me déçoit ou le reste qui m'a fait de la peine, bien, au diable leurs problèmes, moi, au moins je m'en sors ! Je vais refaire ma cuisine, puis je vais déguster des bons vins, puis je vais écouter des émissions là-dessus. »

Et tout ça, je le pousse jusqu'à interpréter le degré de corruption que le Québec a vu dans les dix dernières années. Le plus haut niveau de l'individualisme et du je-m'en-foutisme collectif, c'est quand tu es prêt, non seulement à ne pas contribuer, mais à tromper l'intérêt public et les autres autour de toi. Là, tu es rendu vraiment haut dans l'échelle du repli sur soi.

Anaïs Barbeau-Lavalette
Cinéaste, auteure

Je ne pense pas qu'on s'est immobilisés, qu'on a arrêté de rêver, je pense que les rêves ont peut-être muté, se sont transformés. Peut-être parce qu'il y a des questions supranationales qui, tout à coup, ont pris le dessus, à cause de tout ce qui se passe, du nouvel ordre mondial auquel on s'est mis à participer. J'ai l'impression que, de façon individuelle, on s'est approprié des causes. Il y a du monde qui se suspend au-dessus des rivières pour les sauver! C'est quand même kamikaze!

Il y a des gestes qui sont faits, des gestes qui appartiennent à des idéaux plus grands que la question nationale. Je sais qu'en ce moment, dans certaines ONG qui viennent en défense aux droits des immigrants, la demande de la part des Québécois pour venir en aide aux familles d'accueil immigrantes est plus grande que le besoin!

QUELLES FORCES
NOUS FAUT-IL METTRE DE L'AVANT?

Si nous considérons devoir abandonner des habitudes, des caractéristiques, des peurs qui nous paralysent, nous devons, en revanche, mettre de l'avant nos forces. Sur quoi pouvons-nous compter ? Comment se redonner confiance collectivement ? Ça passe par quoi ?

Comment se redonner confiance ?

M.-F. B.

Pierre Harvey
Entrepreneur, médaillé olympique

Bien, c'est sûr que ça commence par l'éducation. Les enfants sont des éponges. S'ils voient leurs parents ne rien faire, ils vont faire pareil. Tu sais, les gens me demandent comment ça se fait que mon fils Alex a fait de la compétition et qu'il a continué.

C'est moi le plus surpris de tout ça. Parce que j'étais convaincu qu'à 16-17 ans, il arrêterait la compétition pour passer à autre chose. Quand, depuis l'âge de 2-3 ans, tu fais du ski, du vélo, rendu à 15-16 ans, tu vas sûrement avoir envie de faire autre chose, d'essayer autre chose. Mais il a continué.

Alex, il a vu ça toute sa vie, son père se lever le matin puis aller pédaler, même avant d'aller travailler, à 6 h 30. Tu sais, voir ça, pour lui c'est naturel, ça fait partie de sa vie.

Les enfants apprennent de leurs parents. Mais les enfants, ce sont des éponges, ils apprennent de leurs parents, ils apprennent à l'école. Ce sont les exemples qu'il faut leur montrer. Mais je pense que les premiers responsables de ça, ce sont les parents.

Dans les écoles, on coupe les récréations parce qu'il fait un peu trop froid dehors ! Les jeunes ne sont pas actifs. Si tu arrêtes de faire bouger un jeune, il tombe malade. Il faut absolument qu'il bouge, tous les jours. C'est comme un petit chien, un petit chiot. Quand il vient au monde, s'il ne joue pas avec les autres chiens, il n'apprendra pas, il ne sera pas capable de se développer.

L'activité physique, c'est aussi important que manger, lire, faire autre chose. Ça fait partie de la base.

Les enfants finissent l'école à 15 h 30 au primaire. Ils devraient rester à l'école jusqu'à 16 h 30, 17 h, puis à la fin de la journée, ils auraient une heure d'activité, soit des arts, de la musique, du théâtre, du soccer, du basket…

Pourquoi les jeunes doivent partir à 15 h 30 de l'école? Tu sais, ils ont tous les locaux, ils ont toutes les infrastructures pour… ils ont les gens en place. C'est quoi d'engager dix profs de plus pour l'activité physique, pour les arts et tout ça?

C'est absolument important et nécessaire d'occuper les jeunes. Puis tu sais, quand on dit: on n'a pas le temps de faire de l'activité physique parce qu'il faut mettre plus de temps pour apprendre le français, c'est complètement faux! Les jeunes qui sont dans les programmes sport-études ont de meilleures notes que la moyenne des autres jeunes, et ils font deux fois moins de temps que les autres, parce qu'ils sont 50 % en sport, 50 % à l'école. Ils arrivent avec une moyenne à la fin de l'année supérieure à tous les autres qui sont dans les programmes réguliers. Si tu veux bien comprendre, il faut que tu sois en bonne santé, il faut que tu bouges.

Mettre de l'argent dans l'éducation, ce n'est pas de l'argent perdu. Si la population se prenait en main un peu plus, les milliards qu'on met en santé… si on enlevait 10 % de cet argent-là, parce que les gens seraient plus actifs, on aurait plein d'argent à mettre dans les écoles.

50 % du budget du Québec va dans les hôpitaux! J'ai payé toute ma vie des impôts, j'ai 54 ans, et la journée où je vais aller à l'hôpital, on va me dire: «Monsieur, on n'a pas de place pour vous.»

Dany Laferrière
Écrivain

Je crois qu'il serait temps de commencer à utiliser l'humour, l'ironie, l'autodérision dans les chroniques, dans les interventions générales, mais avec… je ne vais pas dire avec tendresse, ça ferait cucul, mais avec nuance, en sachant que ce qu'on va dire là ne va pas régler l'affaire, mais ça ne veut pas dire que l'affaire restera immobile.

Ça empêcherait que les gens parlent tout le temps de *vraies affaires*… D'abord, je n'ai jamais entendu quelqu'un dire : «Je vais parler des vraies affaires», et qu'il dise quelque chose de gentil…

C'est toujours une chose violente. C'est toujours contre.

Au fond, l'expression *vraies affaires* a été artificiellement créée pour signifier : «Je vais vous dire ma frustration.»

On n'est pas comme la France qui a, je ne sais pas, deux mille ans d'expérience, c'est-à-dire une distance, une notion de nuance, d'humour, d'autodérision qui n'est pas grinçante. Car se moquer de soi violemment, c'est la même chose que se moquer de l'autre : ça cache toujours des frustrations ridicules.

J'allais dire le mot *humilité*.

J'ai l'impression que l'individu se sort de l'espace collectif. L'impatience l'empêche, il veut doubler la ligne, parce que l'embouteillage l'emmerde. Au lieu de régler la question de l'embouteillage qui est tout simplement, d'abord, de savoir pourquoi il y a embouteillage – c'est tout simplement un gros camion qui a eu un accident. Quelqu'un de mort : oh! le pauvre… On peut avoir de la compassion.

Il faut être informé sur toute la ligne. Et non que chaque individu entre dans l'espace avec fureur. Fureur.

On n'a pas su calmer cette fureur-là par des informations précises sur l'état réel de la société.

On a aussi besoin de réfléchir à la question de l'aliénation, et d'arrêter de vouloir couper la tête de tous ceux qui réussissent.

Je comprends d'où vient cette histoire-là. On a bâti notre société contre ce qu'on a appelé l'obscurantisme, la Grande Noirceur, Duplessis. À l'époque, les choses se magouillaient individuellement. On a voulu faire cette Révolution tranquille et donner la place au Québec collectif, et faire une société où tout le monde est égal. Bon. On l'a pris à la lettre. Mais quand la société a commencé à s'enrichir, on a continué à mentir, c'est-à-dire à diffuser l'information que nous sommes tous pauvres, que seul le Canadien anglais est riche – même s'il est pauvre. On a commencé à mentir, une bourgeoisie s'est développée.

Comment peut-on être, peut-être, trente-deuxième pays au monde (si on était un pays) et ne pas avoir une puissante bourgeoisie? Ce n'est pas vrai! Même Haïti a une bourgeoisie [rires]. Alors que le budget de l'Université Laval fait cinq fois le budget de la République d'Haïti, Haïti a une bourgeoisie.

Il faut ouvrir l'espace. Ouvrir! Déclarer ouvertement que nous avons une bourgeoisie. Nous avons des riches; nous en sommes fiers; ils ont gagné, ils ont réussi; nous avons des gens qui ont fait des choses extraordinaires.

Chaque fois que quelqu'un fait quelque chose, nous l'adulons pendant quinze jours, et après nous commençons à le détester et à faire circuler des rumeurs sur sa vie personnelle... La société ne peut pas continuer à grandir dans un espace où les gens ont l'impression que Pauline Marois ne pourra jamais être première ministre parce qu'elle a une grosse maison, payée avec son argent.

Moi, c'est le contraire : je veux des premiers ministres riches pour que, quand ils voyagent par exemple, ils ne se sentent pas impressionnés en Europe quand on les reçoit avec sept couverts. Qu'ils soient habitués. Qu'ils ne passent pas la soirée à se demander s'ils font bien. Qu'ils discutent de choses sérieuses.

Il faut arrêter de faire des histoires parce qu'un type à Cannes se fait payer une chambre d'hôtel pendant le festival !

Chaque fois qu'il y a un truc, tout le monde tombe dessus, sans demander l'information, les journalistes comme les gens dans la société. Toute la ville devient *rumeurs*. Ça veut dire qu'on n'a pas encore réglé la question de l'espace public.

Ça veut dire que tu ne peux pas envoyer des leaders, des gens faire des négociations et ne pas discuter pour savoir où ils vont aller, combien ça coûte.

Tout ça est lié à cette histoire qu'on a. On n'a pas réglé ce qu'on n'est pas. On n'a pas encore dit ce qu'on est, c'est toujours ce qu'on n'est pas. On *est* une société puissante, nord-américaine, riche !

Le Québec a une bourgeoisie. Puissante. Il faut régler ça, sinon on va croire que tous les riches sont méchants. C'est des conneries.

Le Québec est fier chaque fois qu'un immigrant prend l'accent québécois. Le Québec veut à tout prix qu'on soit intégrés. C'est le but même de l'immigration. La réussite de l'immigration pour le Québec – ce qui est tout à fait faux d'ailleurs –, c'est que l'immigrant dise : « J'ai oublié d'où je viens ; je suis ici. » Or, le Québec n'oublie jamais !

Les Québécois peuvent aller partout. Mais si jamais ils oublient une seconde, et qu'ils reviennent à Montréal avec le moindre petit accent, on le leur rappelle. On revient et on nous attaque à la radio : « Qu'est-ce qui lui prend, il a un accent… »

Et moi qui écoute, ou l'immigrant qui écoute, il dit : « On veut que je sois intégré totalement, on veut que j'oublie tout, on veut que… » On fait tout un discours sur « Il faut entrer dans la société québécoise, laïque… » Et on attaque le moindre Québécois qui part et qui revient… Je ne comprends pas. Je me dis que si c'est bon pour le Québécois, ça doit être bon pour moi aussi.

106

Il faut me laisser faire dans ce cas-là. Je ne peux pas prendre votre accent puisque vous ne voulez pas prendre l'accent des autres. Le type qui pense que l'accent français est bon pour lui, si ça lui permet de travailler, il le prend. Si, en privé, quelqu'un ici trouve son petit accent exaspérant, qu'il le dise, mais ça ne peut pas entrer dans l'espace public.

Luc Ferrandez

Maire d'arrondissement, Plateau-Mont-Royal

Il faut défendre nos trésors un par un. Moi, je veux défendre le Plateau.

Je trouve que le Plateau, c'est un des plus beaux quartiers du monde. C'est plus beau que San Francisco, c'est plus beau que Barcelone, c'est plus beau que... Il y a des beaux quartiers comme ça à Marseille peut-être. Mais c'est un des beaux endroits du monde. Hochelaga-Maisonneuve aussi pourrait devenir comme ça. Qu'on lui donne un accès au fleuve et qu'on mette en valeur ce vieux tissu populaire, pratiquement médiéval dans ses ruelles, parfois, quand tu croises une *shed* avec une porte minuscule qui a été faite par un gars qui se l'est quasiment gossée à la main...

Ce sont des éléments qui ont été construits avant la norme, qui ont été construits avant le plastique. C'est beau, Hochelaga-Maisonneuve ; c'est beau, le Plateau ; c'est beau, Centre-Sud ; c'est beau, Verdun ; c'est beau, Villeray, la Petite Italie, etc. On a des beaux endroits. On a des trésors mal polis et il faut les protéger et les développer.

Et ma théorie à travers ça est de faire renaître les quartiers et les villages comme un mode de fonctionnement.

Tu sais que, dans une famille moyenne qui habite en banlieue, ce n'est pas que deux déplacements vers le centre-ville qui se passent par jour, c'est une moyenne de treize déplacements par jour pour la famille. Aller au soccer, aller voir ta mère, aller acheter du lait, etc. Si tu en fais deux ou trois en auto, mais que les dix autres, tu es capable de les faire à pied, bien là, tu as un modèle de développement qui se tient. Des cœurs de village, dans les banlieues, tu sais comme il y en a à Beaconsfield, comme il y en a à Pointe-Claire, sur le Plateau aussi.

Il faut des axes de transports en commun, ça s'appelle TOD : *Transit Oriented Development.* Pour les grands déplacements. Dans le déplacement pendulaire, tous les jours, tu fais ça en train ou en voie réservée. Le reste de tes déplacements, il faut qu'on te donne les conditions pour que tu puisses les faire à vélo ou à pied ou en auto s'il pleut. Mais il ne faut pas que tu sois toujours obligé de prendre ton auto pour tout.

Ça permettrait de baisser les coûts de l'installation des familles partout. Moi, je pense qu'une campagne intelligemment définie dans l'avenir, avec des villages qui ont un cœur, qui sont intéressants, et des maisons autour, c'est peut-être ça, notre futur de l'aménagement.

Donc, si on a cette contrainte du déplacement, mais qu'il y a un commerce à proximité qui est intéressant, ça va faire des lieux intéressants. Pour moi, ces premières étapes-là, ce sont mes objectifs à moyen terme.

Michael Fortier
Sénateur, ex-ministre

Ça passe par le leadership politique. Mais j'en reviens à la première question. Ça passe par Montréal.

Je pense que Montréal doit redevenir ce pôle économique, ce pôle de développement qui est important dans n'importe quelle société dont la moitié de la population gravite autour d'une ville.

À un moment donné, ça ne prend pas un diplôme de la Sorbonne pour comprendre que c'est une plate-forme qui est trop importante pour être ignorée.

Je pense que ça passe par là, ça passe par ce leadership politique, un peu comme le slogan de Nike : *Just do it.* Il faut le faire. Il faut qu'on arrête d'en parler. Si le Parti libéral du Québec et le Parti québécois sont capables de se réunir et de convenir ensemble que le contrat entre Quebecor et la Ville de Québec mérite d'être protégé, pourquoi ne peuvent-ils pas se réunir et s'entendre sur la façon dont Montréal devrait, pour ses structures, opérer de façon à avoir une plus grande marge de manœuvre? Pourquoi?

Parce qu'il n'y a pas d'incitatif. Il n'y a pas suffisamment de champions. Les politiques regardent le rendement sur l'investissement et se disent : « Montréal, il y a des sièges, oui. Mais toi, tu as les sièges à l'ouest de Saint-Laurent; moi, j'ai les sièges à l'est de Saint-Laurent. »

Il faut donner à Montréal plus de marge de manœuvre. Il faut travailler aussi sur toute la question de la fiscalité. Moi, je pense qu'on n'a pas les moyens de plusieurs de nos programmes sociaux.

Alors, soit on change le modèle, soit on crée plus de richesses, mais on ne peut pas continuer à faire semblant qu'on a les moyens de se payer tous ces programmes.

Et la langue. Pourquoi est-ce qu'on ne peut pas protéger notre langue, mais en même temps donner l'occasion à nos enfants de s'épanouir vers d'autres langues qui, moi, je pense, vont les aider? Pas nécessairement à gagner leur vie, mais par l'apprentissage d'une langue, tu apprends aussi une autre culture.

Il y a certaines voix au Québec qui s'élèvent de façon assez forte et elles s'élèvent souvent et donnent un caractère mutuellement exclusif à ce que je viens de dire. Il semblerait qu'on ne peut pas protéger notre langue par la loi 101 (que j'appuie à 100 %), et en même temps faire la promotion du multilinguisme. Je trouve ça aberrant. On devrait être capable de faire ça. On devrait être capable d'avoir un affichage francophone dominant. Mais on devrait être capable aussi d'apprendre l'espagnol. Pourquoi c'est mutuellement exclusif? Moi, je n'accepte pas ça. Je suis un produit d'un système qui a bien fonctionné. C'est-à-dire que je parle un français impeccable, je l'écris très bien, mais je parle aussi une deuxième langue et je ne l'ai jamais étudiée, cette deuxième langue. Je ne suis jamais allé à l'école en anglais. J'avais des parents qui me parlaient en anglais. J'ai des frères et sœurs qui me parlaient anglais. J'ai eu cette chance inouïe. Mais, cette chance, si je ne l'avais pas eue, je n'aurais pas l'emploi que j'ai aujourd'hui. Et pourtant, je suis au Québec. Il me semble que je contribue à ma petite façon à l'épanouissement du Québec. Je paye des impôts ici. Pourquoi est-ce que le Québec ne voudrait pas que des gens comme moi vivent et gagnent leur vie?

C'est un autre sujet qui devient problématique, pour Montréal surtout, parce que c'est à Montréal que vivent la très grande majorité de ceux et celles qui parlent une deuxième langue et une troisième langue. Et c'est là que les manifestations pour la protection de la langue française, contre les écarts (surtout en anglais), se produisent.

Quand, à l'étranger, on voit ça, une entreprise se dit : « Bon, est-ce que j'investis? Est-ce que j'envoie mes hauts dirigeants à Montréal? »

Moi, si je vais vivre à Barcelone, je sais très bien que l'affichage va être en espagnol, en catalan ou en espagnol.

Si je vais vivre à Rome, je ne m'attends pas à voir de l'affichage en français ou bien de l'affichage en anglais.

Mais en même temps, je me dis qu'il y a sûrement la possibilité pour moi de vivre en anglais si je le veux à quelque part! Communiquer avec les gens dans une autre langue! Puis je ne pense pas que les Italiens se sentent pour autant menacés.

Guy Rocher
Sociologue

Le fait que nous avons réussi une Révolution tranquille devrait être de nature à nous donner confiance en nous-mêmes. Moi, ce qui me frappe, c'est comment il y a eu cette période de vingt années, entre 1960 et 1980, où nous avons eu confiance en nous. Nous avons eu confiance en nous-mêmes en cette période-là, de différentes manières, jusqu'à la loi 101, je dirais. Et puis, cette confiance en nous s'est un peu effilochée. Il faut la retrouver pour se mobiliser. C'est Hegel, je pense, qui disait : « Il ne s'est rien fait de grand sans passion. » Et nous avons besoin d'une passion québécoise. Une passion pour un changement, pour un autre grand projet et pour un Québec qui soit plus uni en lui-même.

Sans perdre de vue notre fragmentation, je pense qu'il y a du bon dans le fait que des groupes se soient émancipés : les gais, les femmes... Mais, au-delà de cette fragmentation, il y a un besoin d'un renouvellement unitaire. Vous me demandiez : « Quelle force faut-il mettre de l'avant ? » Moi, je crois que c'est l'idée d'un Québec indépendant.

Le rêve d'être un peuple autonome, c'est, je pense, porteur de mobilisation. Nous avons commencé à nous immobiliser, à cesser de rêver avec les deux référendums perdus, et particulièrement le deuxième. C'était un traumatisme, en particulier ce deuxième référendum, alors qu'il aurait pu être considéré, au contraire, comme un grand pas en avant. Parce que nous sommes venus si près du but en comparaison du premier référendum.

Mais au lieu de le voir d'une manière positive, on l'a vu comme un arrêt. Et on ne s'est pas remis de ce traumatisme. C'est pour ça que je vois, en tout cas, le projet d'un pays autonome, un pays ayant sa constitution, ayant son orientation à lui-même et son orientation internationale, comme un projet mobilisateur.

Ce qui nous paralyse peut-être, c'est que le leadership politique n'y est pas. Étant donné la singularité du Québec et sa situation géopolitique en Amérique du Nord, il nous faut travailler conjointement avec l'État et il faut que l'État soit présent dans notre vision, l'État québécois. Je pense que cela a été vrai et demeure vrai pour le système d'enseignement, cela a été vrai et demeure vrai, à mon avis, pour le développement économique et pour le développement culturel. Et si on s'abandonne, si on laisse de côté ce pouvoir politique, ce sont d'autres forces qui vont prendre la place et ce ne sont pas nécessairement les forces qui seront inspirées par ce qu'on peut appeler maintenant le bien commun. Moi, je continue à croire qu'au contraire il faut aller dans ce que la Révolution tranquille a apporté de positif pour le continuer, et non pas détruire ce qu'on a construit.

C'est ce que je crains évidemment le plus en ce moment dans la nouvelle orientation. C'est qu'on pense améliorer en détruisant. Ceux qui disent ça d'ailleurs sont ceux qui ont le plus profité de l'action de l'État québécois, c'est-à-dire d'un système d'éducation gratuit, un système d'éducation construit pour le plus d'égalité possible.

Y A-T-IL DES SIGNES AVANT-COUREURS DE CHANGEMENTS ?

Il y a ce qu'on constate : un blocage évident. Ce que l'on souhaite : un avenir meilleur. Les deux pôles semblent si éloignés. Pourtant, entre les deux, il y a des signes avant-coureurs de changements, des velléités de faire autrement. Des paroles, des actions, des expériences qui donnent espoir, l'envie d'avancer.

Comme des bulles qui viennent crever à la surface d'un marais.

À *Bazzo.tv*, régulièrement, des participants à nos discussions, jeunes idéalistes ou vieux routiers expérimentés mais pas lassés, tiennent des propos qui font entrevoir un ciel moins bouché. Ces discours ne sont pas les plus médiatisés. Ils sont souvent trop complexes, ou trop déstabilisants, ou juste pas assez sexy pour faire du bon stock à invités de *talk shows,* ou de bons clips de téléjournaux. Ça parle d'expériences locales, d'éducation, d'histoire, d'environnement, de participation, d'écoute, de liens, d'humanisme, d'empathie, de différence.

Il faut prendre le temps de voir, d'écouter ces signes. Au total, ça fait beaucoup de petites bulles qui nous indiquent que sous des eaux stagnantes, ça grouille…

Voyez-vous des signes avant-coureurs de changements ?

M.-F. B.

Michael Fortier

Sénateur, ex-ministre

Des signes avant-coureurs de changements? Oui et non. Il y a un mouvement avec François Legault à l'heure actuelle. On sent qu'il y a des voix de plus en plus nombreuses. Sont-elles majoritaires? Non, mais on sent qu'il y a des voix de plus en plus nombreuses qui s'affirment et qui posent des questions et offrent des solutions.

Et c'est tout à l'honneur de ceux qui le font. Parce que, au Québec, on a la catégorisation facile. Quelqu'un qui ne pense pas exactement comme le modèle québécois, il est de l'extrême droite. Je sais, je l'ai vécu. Alors que je ne suis pas du tout comme ça. Mais quelqu'un qui n'adhère pas au modèle purement québécois, c'est-à-dire à la «société distincte», si tu n'es pas dans ce moule, tu es de l'extrême droite.

Et ça, c'est un des défis qu'on a. Alors, oui, il y a une prise de conscience collective sur notre endettement, les défis. Tu sais, tout n'est pas noir au Québec non plus, là. Je ne veux pas peindre un portrait dévastateur, loin de là. Mais cette prise de conscience collective, elle se fait, mais dans l'exécution, elle ne se fait pas.

Il n'y a pas le leadership politique pour la faire. Et je ne pense pas non plus, pour être honnête, qu'on ait suffisamment de gens au Québec qui peuvent apporter des solutions innovatrices et qui pourraient s'organiser un parti politique capable de prendre le pouvoir de façon majoritaire. Peut-être que je me trompe, j'espère me tromper, mais pour l'instant je ne le sens pas.

Je prends un seul exemple. Quelqu'un dirait: «Moi, je pense qu'il faudrait revoir le programme des garderies à sept dollars. Moi, je pense que, pour nous, c'est important au Québec, les familles, et on veut que les parents puissent tous les deux travailler, mais on n'a peut-être pas les moyens à sept dollars. J'ai fait un calcul et je vous le présente, ça va passer à dix-sept dollars. »

Seulement ça, ça prendrait beaucoup de courage, énormément. Mais je ne suis pas sûr qu'on en soit là. Et moi, je voudrais qu'on en soit là. Mais il faut que quelqu'un explique, ça nous prend un pédagogue, il faut aller là, il faut faire ça comme ça, voici pourquoi. Il y a des bouts où ça va faire mal, il y a des bouts où ça va faire moins mal. Tout n'est pas noir, il y a aussi le soleil qui se pointe à l'horizon.

Il y a un travail pédagogique à faire, qui commence à se faire, mais c'est diffus. Les pôles de diffusion sont ici et là. Et il n'y a aucun des partis politiques en place, traditionnels, qui est porteur de ce message, aucun.

Daniel Lamarre
Président et chef de la direction, Cirque du Soleil

La morosité est présentement cultivée, alimentée… Je n'essaie pas de rejeter la faute sur les médias, je pense que ça s'alimente aussi dans notre langage quotidien. Je pense que les gens se complaisent à perpétuer la morosité. Et on n'arrive pas à faire place aux choses qui sont positives.

C'est presque mal vu d'avoir trop de succès au Québec. Et je ne comprends pas pourquoi. J'ai de la difficulté à me l'expliquer. Mais on se conforte beaucoup, beaucoup, beaucoup dans la morosité, alors que si on regarde autour de soi, il y a des belles choses qui arrivent. Par exemple, on parle beaucoup du désastre du CHUM et de beaucoup de grands chantiers qui fonctionnent mal. O.K., j'accepte ça.

Mais il n'y a personne qui s'est levé pour dire le grand succès de l'aéroport de Montréal.

J'en suis un énorme utilisateur, mais il y a quelques années, j'avais honte d'atterrir à Montréal. Je me disais : « C'est une *dompe*, ça n'a pas de bon sens, c'est terrible. »

À chaque fois qu'il y avait des étrangers qui nous visitaient au Cirque du Soleil, le dernier sujet de conversation que je voulais soulever, c'était l'aéroport.

Mais l'aéroport de Montréal aujourd'hui, je n'en ai plus honte. Ils ont fait une maudite belle job et ça continue. Et c'est de plus en plus beau, il y a de plus en plus de commodités.

J'ai été fasciné par le beau travail qu'ils ont fait, avec des budgets très corrects et dans des délais très corrects.

Mais je n'ai jamais lu ça nulle part, dans aucun journal, jamais entendu un reportage pour louanger le travail fantastique qu'on a fait à l'aéroport de Montréal.

On est plus porté à voir ce qui ne fonctionne pas puis à le monter en épingle puis à le perpétuer pendant des jours et des jours et des jours.

Luc Ferrandez
Maire d'arrondissement, Plateau-Mont-Royal

Je trouve qu'on n'a peut-être pas assez saisi l'importance de la crise. On ne la voit peut-être pas assez pour qu'on se jette dans la solution. Mais je suis ébahi par la capacité des Québécois à faire face aux changements.

Le vote québécois pour le NPD, c'est superficiel. Je me suis dit : « Tabarouette que les Québécois sont capables de changements. Ils sont capables de dire : "Là, ça va faire." Ils résistent, ils résistent, ils résistent, et là, ça va faire. »

Je pense qu'ils vont y arriver. Parmi les signes avant-coureurs, il y a eu l'élection d'Amir Khadir. À un moment donné, c'était le contraire. La vague pour l'ADQ, puis la vague conservatrice, c'était aussi une volonté de changement. C'était aussi une volonté de dire : « Bon bien là, il faut qu'on trouve une solution. » Je les sens prêts, les Québécois, mais je ne vois pas trop de leaders qui seraient capables de donner forme à cette capacité de changement, qui seraient capables de lui donner de la place.

Marc-André Cyr
Doctorant en sciences politiques, militant

Je suis encore un peu pessimiste, on vit une crise qui se décline de trois façons : une crise écologique, une crise économique et politique, une crise de sens. La crise politique pousse les gens à ne plus faire confiance aux gouvernants, à ne plus aller voter, entre autres.

Et ça porte les gouvernants à se montrer de plus en plus corrompus. Une corruption qui touche tous les paliers de gouvernement au Québec.

Est-ce qu'il y aura du changement, est-ce que ces crises vont mener à du changement ou à la perpétuation des mêmes balivernes ? Je vois beaucoup de changements en Afrique du Nord, dans les mouvements d'insurrection, qui ont renversé des gouvernements corrompus et autoritaires. Je le vois aussi en Europe avec la montée des protestations sociales, des grèves, des manifestations et des émeutes. Surtout en Grèce, mais aussi en Islande. L'Islande qui a renversé deux gouvernements. Donc ça brasse beaucoup en Europe.

Ici, au Québec, pour le moment, on semble plutôt avoir les effets spectaculaires de ces crises-là. Donc pas de réarrangements en termes de rapports de force concrets, dans le réel, dans le vrai monde.

Une montée spectaculaire de la droite, l'élection du NPD, la chute du Bloc québécois, l'implosion du PQ, la présence médiatique de QS. Mais on reste dans le spectacle. On n'est pas encore dans une reconfiguration des rapports sociaux ou des rapports de force concrets entre l'État et les classes économiques.

Est-ce que les mouvements sociaux vont passer en mode offensif ? Je le souhaite. C'est comme ça que la société se transforme, pas autrement. L'avenir nous dira si ce sera le cas. Mais, pour le moment, les changements me semblent être plutôt cosmétiques qu'autre chose. Derrière ce maquillage spectaculaire, le visage du pouvoir continue de nous servir les mêmes grimaces.

Mais ce n'est pas grave d'être pessimiste. C'est à cause de ceux qui sont sans espoir que l'espoir nous est donné. L'espoir comme tel, c'est un concept un peu vide qui mène à la passivité. C'est le désespoir qui nous fait agir. C'est l'urgence d'agir qui nous botte le cul, qui fait qu'on descend dans la rue et qu'on lève le poing et qu'on pointe du doigt.

Christian Dufour
Politologue

Je ne vois que des signes de changements pour le pire : l'accentuation du déclin et de la médiocrité d'une société tentée par l'abdication de ce qu'elle est.

On l'a vu entre autres récemment dans l'appui massif de cette mesure excessive et dangereuse que serait l'imposition de la bilinguisation de la sixième année pour tous les jeunes francophones québécois. Cette première manifestation de bilinguisme collectif rend compte du fait que la norme, dans l'avenir, sera moins la claire prédominance du français sans exclusion de l'anglais que le bilinguisme idéologique : indépendamment de la réalité et des conséquences, TOUS les Québécois devront désormais être bilingues par principe, sous peine de ne pas être mondialisés, modernes ou ouverts.

Roméo Dallaire
Sénateur

Selon moi, c'est la maîtrise de la technologie et une conscience sociale profonde, c'est-à-dire des valeurs, une éthique morale et une sensibilité à l'humanisme très fortes. Ensemble, je pense que ça va amener la jeunesse québécoise à vouloir s'émanciper internationalement.

Je vois beaucoup plus de jeunes qui vont visiter, pour découvrir et même pour travailler, Kinshasa et le Pérou plutôt que Londres, Paris, Genève ou toutes ces belles places. Pour moi, c'est un énorme signe positif. Les jeunes d'ici sont conscients que 80 % de l'humanité vit dans des scénarios différents du leur…

Pour eux, l'Afrique, ce n'est pas loin. C'est douze heures de voyage en autobus sophistiqué. Pour nous, l'Afrique, c'était le bout du monde. Mais, pour eux, le monde est une boule fragile, une petite boule bleuâtre dans l'univers, et il n'y a pas de frontières. C'est ce que les astronautes nous ont montré.

Evelyne de la Chenelière
Dramaturge, auteure

Mon contact avec les étudiants, avec une génération qui s'en vient, comme on dit, est très bizarre, parce que je passe d'un extrême à l'autre. Parfois, je suis catastrophée à l'idée de découvrir des individus qui sont beaucoup plus capitalistes que nous-mêmes. Je dis nous, mais mettons ma génération.

D'autres fois, je vois vraiment d'une façon très flagrante des gens qui sont beaucoup plus loin dans leur réflexion que je l'étais au même âge. Ça, ça m'impressionne, ça me donne envie de voir ce qu'ils nous préparent, de voir ce qui nous rassemble, s'il y a une sorte de révolution. J'en rêve. Ça peut sembler naïf, mais je crois qu'il y a un moment où on va être obligés à ça, comme nation. Obligés d'accueillir, ou de ne pas accueillir, mais en tout cas de subir une révolution ou d'y participer.

J'ai ce sentiment-là parce que c'est de plus en plus irrespirable. Il me semble en tout cas que c'est pareil dans tous les domaines. Ce n'est pas simplement dans les arts. C'est à l'image vraiment d'une culture... globalement, d'une culture du narcissisme, de la vue très, très courte, d'une conception très erronée de ce que serait la réussite. Il y a un moment où tout ça sera complètement vidé de sens, et alors, il va se passer quelque chose.

COMMENT VOYEZ-VOUS L'AVENIR DU QUÉBEC ?

Nous avons voulu cette question comme un test de réalité.

Des citoyens informés, préoccupés, viennent de réfléchir, d'analyser, de tenter de débusquer des motifs d'espoir. Maintenant, on met la raison de côté. Fermez les yeux et imaginez...

Quelle image vous vient lorsque vous pensez à l'avenir?

Dans dix ans, le Québec sera...

M.-F. B.

Evelyne de la Chenelière
Dramaturge, auteure

Quand je pense à l'avenir, *a priori*, je me dis : « Mon Dieu ! Quelle horreur, je n'ai pas d'images. » Puis je me dis que ce qui me fait envie dans l'avenir, c'est précisément l'inconnu qui m'apparaît.

Paul Saint-Pierre Plamondon
Avocat, président de Génération d'idées

Je rêve d'un Québec qui se distingue par la qualité de sa gouvernance. Un Québec où les Québécois ont confiance en leurs institutions démocratiques et, par conséquent, confiance dans les décisions qui façonneront notre avenir. Dans une économie globale où la rareté des ressources et la fragilité des régimes iront en s'accentuant, la qualité de la gouvernance sera la principale source d'avantages compétitifs d'une nation. Elle fera la différence entre une société prospère où il fait bon vivre et une société pauvre que les gens fuient.

René-Daniel Dubois

Écrivain, dramaturge

Quand je dis que cette société-là est en train de s'effondrer, je ne sais même pas ce que ça veut dire. Je sais qu'elle ne peut pas tenir. C'est ça que je dis. Ce que je vois, par contre, c'est qu'il y a de la valeur, et que ce sont les individus. Et c'est souvent cette valeur-là qui n'est pas reconnue. Parce que cette société-là jette le monde par les châssis. Tout ce qui ne fait pas l'affaire de ce qui règne présentement est jeté par les châssis.

Quand je dis *jeté par les châssis*, c'est métaphorique. Ces gens-là s'en vont sur la marge et ils continuent à vivre là, sur la marge.

Ce que je vois, ce sont des successions d'individus et beaucoup qui s'en vont. C'est une hypothèse que j'avais déjà dans les années soixante-dix. Je n'ai aucune idée à quelle vitesse les choses vont se passer. Ce que je sais par contre, par expérience, empiriquement, c'est que, généralement, quand j'ai l'impression que ça se passe très loin, ça va bien plus vite que je le pensais. Ça a toujours été, c'est toujours allé plus vite que je le croyais. Mais ça ne veut pas dire que ça va se maintenir comme ça. Il y a peut-être d'autres facteurs dans ce cas-là, parce qu'on change d'ordre de grandeur, puis il y a peut-être des facteurs qui échappent totalement à ma perception et à ma réflexion. Je n'en disconviens pas une seconde.

Mais ce que je vois, ce sont des individus et possible-ment une diaspora québécoise. C'est-à-dire que le monde va s'en aller. Et c'est commencé d'ailleurs. En art, maintenant, il y a des jeunes auteurs qui ne sont pas connus ici… Geneviève Billette, personne ne la connaît ici. Elle est plus connue en France qu'ici. Jean-François Caron aussi. Je suis sûr que c'est comme ça dans d'autres domaines.

À un moment donné, en faisant des recherches sur le Net, je suis tombé sur un chorégraphe québécois dont je n'avais jamais entendu le nom, qui travaille à Berlin.

Ça se peut que la citadelle se vide en attendant de devenir officiellement le Texas du Nord. Et ce n'est pas une boutade.

Les deux premiers organismes au Canada qui ont parlé d'adopter, dans le milieu des années quatre-vingt-dix, la devise américaine, c'est le Bloc québécois et les Caisses populaires.

Quand je pense à l'avenir, je vois des individus, et il y en a beaucoup que j'aime profondément et qui sont remarquables. Mais s'ils restent ici, ou s'ils essaient de se réaliser, ils vont se faire écraser. De toute façon, ils ne pourront pas se développer. Alors, ou bien ils vont s'éteindre, ou bien ils vont s'en aller le faire ailleurs. Ils vont le faire en anglais, en allemand, en italien, en japonais. Déjà, il y en a qui partent. J'ai des amis qui passent leur temps à faire le tour de la boule. Ils reviennent travailler ici quelques mois puis ils s'en retournent et ils me disent qu'ils ont rencontré des Québécois, partout dans le monde, qui font toutes sortes d'affaires. Ça va s'amplifier. On est dans la même situation qu'à la fin du XIXe siècle, à l'époque de la Grande Saignée, entre la Confédération et 1920 à peu près.

Si les gens ne partaient pas, ils mouraient de faim sur les terres. Il n'y avait pas d'agronomie, il n'y avait rien. Il n'y avait pas d'école d'agronomie. Les gens brûlaient les terres. La chute de la production agricole de base à la fin du XIXe siècle est hallucinante. Les chiffres, les cheveux te lèvent sur la tête quand tu les lis. Il fallait qu'ils s'en aillent. Alors on les poussait à s'en aller, puis ça permettait aux curés de les suivre et donc d'étendre le territoire sur lequel ils avaient autorité. C'est comme ça qu'ils se sont rendus au Manitoba, puis ça a marché jusqu'à tant que le clergé, entre autres dans le Rhode Island, le clergé irlandais fasse «wow!» Et c'est allé jusqu'à Rome. Et c'est Rome qui a dit au clergé québécois : «Vous allez rentrer dans vos terres et vous allez rester tranquilles.» Mais sauf que là, ce ne sera pas dans ce cadre-là. Ça va se faire dans l'espèce de *swompe* inconsciente où nous nous trouvons.

Au fond, ce que les gens appellent généralement le néolibéralisme, moi, je considère que c'est une religion. C'est devenu notre religion. Et avec le néolibéralisme, ce qui est sur la table, c'est de devenir le Texas du Nord. En anglais là, avec des chapeaux de cow-boys.

Dans *Le Devoir* du 10 septembre 2001, il y avait un article, un petit encadré… Il venait d'y avoir un sondage, et le pourcentage de la population qui souhaitait que l'on devienne des Américains était deux fois plus élevé au Québec que la moyenne canadienne.

Le même message en français demande de 12 à 15 % plus de signes qu'en anglais. Ça veut dire qu'il faut 12 à 15 % plus de papier, de ruban de machine à écrire, de mémoire d'ordinateur, de classeurs, etc. Là où le Québec s'en va, c'est vers l'américanisation. Le nationalisme est une volonté de devenir américain. Je viens de sauter bien des étapes là, mais en résumé, si j'ai une phrase pour le dire, c'est comme ça que je le dis.

S'il n'y a d'autres valeurs que le pragmatisme, le gros bon sens et patati et patata, ce qu'on va devenir, c'est le Texas, dans le pire cliché du Texas.

On se conte toujours des ballounes. Mais quand la balloune va péter, qu'est-ce qu'on va avoir dans la face? Le Texas. Sauf que la province va se vider, parce que nous n'avons pas le golfe du Mexique. Donc, ça va donner un Texas qui va ressembler à Sept-Îles.

Ça va se vider.

Mais il y a une culture québécoise. Il y a quelque chose de particulier ici qui va se déplacer ailleurs, parce que, ici, ce sera invivable. Ce l'est déjà.

Daniel Lamarre

Président et chef de la direction, Cirque du Soleil

J'ai vu d'un bon œil l'arrivée du NPD au fédéral. C'est comme s'il y avait une force tranquille qui s'était soulevée.

Je ne suis pas un partisan du NPD, loin de là, mais j'ai trouvé ça très sympathique comme mouvement. Et dans le fond, ce que j'ai compris dans ce mouvement-là, c'est une écœurantite aiguë des gens en place et un besoin de changement. Parce que je suis un éternel optimiste, j'ai vu ce signal-là comme une façon de dire aux politiciens qui sont en poste depuis vingt ans : « Non, non, on est tannés des vieux débats là. On aimerait entendre autre chose. »

Et cette autre chose-là que les gens veulent entendre a été personnifiée par un gars qui n'a pas chialé. Jack Layton, il est arrivé dans la campagne électorale et il n'a pas chialé.

Les gens se sont dit : « Ah, regarde donc ça. Lui, il ne chiale pas, et il propose des affaires, et il les propose avec un sourire, et ça a l'air sympathique, alors pourquoi pas ? »

J'ai l'impression qu'on va sortir de cette torpeur des vingt ou trente dernières années et qu'on va plutôt s'orienter vers des changements d'attitude qui vont nous amener vers un Québec plus moderne.

On a eu la Révolution tranquille, puis après ça, ça a été la Grande Noirceur, sur le plan idéologique j'entends. Il y a eu la Révolution tranquille, il y a eu René Lévesque qui nous a quand même marqués, cette génération-là nous a marqués. C'est René Lévesque, c'est Pierre Elliott Trudeau, c'est Jean Drapeau, c'est des gens qui avaient des visions, qui avaient des choses à apporter.

Peut-être que, ce dont je parle, ce n'est pas politique, peut-être que c'est économique et peut-être que c'est culturel. Je regarde dans mon milieu, qui est un milieu à cheval entre la culture et les affaires, et je trouve ça intéressant. Je trouve ça intéressant parce que ça me donne deux perspectives. Ça me donne une perspective culturelle, où le Québec tire bien son épingle du jeu, et ça me donne une perspective d'affaires, où je vois quand même une gang de plus jeunes qui arrivent avec des nouvelles idées et qui nous poussent dans le dos. Je trouve ça le fun, je trouve ça valorisant.

J'ai l'impression qu'il y a d'autres notions que le politique qui vont teinter le Québec des prochaines années.

Benoît Dutrizac

Journaliste, animateur radio

Je me souviens d'un spectacle de Robin Williams, dans lequel il disait : « Montréal, c'est beau, quand est-ce que vous allez finir de la construire ? » Il avait dit ça en entrant sur scène. C'est ça, notre image. C'est ça, l'image qu'on a du Québec. On est un maudit peuple. On est quelque chose d'extraordinaire. Sans le Québec, le Canada n'existe pas. Il y a peu d'intérêt pour le Canada. Et pourtant, les gens arrivent à Montréal et voient une ville délabrée, mal entretenue, dont on a l'impression que les autorités se câlissent.

Ça me brise le cœur. Ça me lève le cœur. On est capables de faire des films comme *Incendies*, on est capables de se démarquer partout dans le monde. Et quand tu arrives ici, les familles, les travailleurs, les gens sont accablés par un système qui ne travaille pas pour eux. C'est ça qui me rend fou.

Je me souviens de Jacques Parizeau, en 1977, j'avais 16 ans. Il avait enlevé une taxe sur les vêtements pour enfants. Mon père m'avait dit : « Ça, ça a de l'allure. Ça, c'est travailler pour les citoyens. Ça, c'est travailler pour les familles. »

Moi, je pense qu'il faut arrêter de s'illusionner, de penser qu'on va survivre malgré tout ça. Je pense que ça peut nous détruire. Ça peut détruire la fibre morale de ce pays qu'est le Québec, parce qu'on est un pays. Mais on n'a personne qui va nous amener là. Et si on est un pays, on peut-tu mieux le gérer ? On peut-tu faire attention à l'argent qu'on envoie, à la façon dont on gère cet argent-là, parce que cet argent-là sert à nous donner des programmes sociaux et à aider des créateurs et à aider des travailleurs et à aider des étudiants. C'est ça qu'on veut comme société : une société au service des citoyens, pas au service des minorités. Ces minorités qui ont le contrôle, qui ont le pouvoir, tu les connais autant que moi. Tu sais, les deux, trois, quatre familles qui tiennent le Québec par les gosses...

Comme Derome le disait, si la tendance se maintient, dans dix ans, on va être au même point. On va avoir un ministère de l'Éducation qui se préoccupe peu de nos gars, on va avoir un système de santé où c'est normal d'attendre dix-huit heures à l'urgence. Dans dix ans, je ne vois pas d'amélioration.

Camil Bouchard
Psychologue, ex-ministre

L'image qui me vient, ce sont de petites écoles lumineuses. Si on procède par images, c'est ça qui me vient en premier. De petites écoles, avec des fenêtres, bien ventilées, modernes, avec de petites classes et de grands projets.

Quand on a commencé nos polyvalentes, en 1970 à peu près, les recherches depuis 1962 faisaient la démonstration que c'était la pire décision au monde. Mais on l'a fait par rentabilité, tout simplement, à courte vue.

Il y avait une recherche, dont les résultats sont apparus dans un livre aux États-Unis en 1962, qui s'appelait *Big School, Small School,* dans lequel on faisait la démonstration très nette que les élèves des petites écoles réussissaient beaucoup mieux que les élèves des grandes écoles. Les Finlandais ont adopté ça mur à mur et ils réussissent.

La première image que j'ai, c'est celle-là : de petites écoles, lumineuses, bien ventilées, accueillantes, avec de petites classes et de grands projets.

Ensuite, je vois des communautés qui réinstallent des rites autour du développement de leurs enfants et de leurs jeunes. J'étais à Paris, il y a quelques semaines, puis il y avait une journée des enfants. Et les enfants sortaient dans la rue avec les profs, partaient au parc déguisés. Tout le quartier était animé autour d'une fête des enfants.

La société laïque a besoin désormais de se retrouver autour d'un certain nombre de repères. Et on ne les a plus. Il faut réinstaller des rites autour de moments importants dans le développement de nos jeunes, de nos enfants et de nos familles. Et ça, c'est une vue très, très, très de droite quand tu la regardes strictement dans son sens traditionnel.

Mais le développement, c'est aussi revenir à des repères de constance. On ne peut pas toujours être en changement, il faut être capable de se redonner des points d'ancrage, de référence et de cohésion sociale.

Nous en sommes au point que nos seuls événements de cohésion sociale, ce sont les festivals.

On n'a plus de points de référence communs. Il nous faut donc des rites : des rites de passage, des rites de manifestation, d'appartenance, etc.

Je vois en même temps, dans dix ans, un changement qui pourrait paraître très superficiel, mais qui refléterait la profondeur de la réflexion qui se fait autour de la beauté des environnements qu'on se donne.

Prenons Baie-Saint-Paul. C'est une ville de culture et de patrimoine. C'est ça, sa devise. Mais qu'est-ce que tu vois quand tu entres dans Baie-Saint-Paul ? C'est Tim Hortons, Subway, McDonald's… En fait, toute la panoplie des banlieues américaines est installée là.

Je regarde nos collectivités locales partout au Québec. La première chose qu'on y fait, c'est de s'installer des trucs comme ça à l'entrée de la ville. On perd notre âme. Et on la perd dans des petites choses comme ça, mais qui, dans le fond, témoignent de grands bouleversements et de grands abandons.

La Ville de Québec fait des efforts assez intéressants là-dessus. Par exemple, quand il y a un Saint-Hubert qui s'installe, ils l'obligent à une identification qui n'est pas outrageante. Autrement dit, ils ne renoncent pas à la modernité, mais ils disent en même temps : «Regarde, il faut que tu concilies ça avec les lieux, parce que tu ne t'installeras pas sinon. »

Il faut ressembler à ce qu'on prétend être. Ça aussi, ça fait partie de l'image que j'ai d'un Québec futur. Une image de cohérence, assumer qui on est, le réassumer constamment.

La culture doit s'installer quotidiennement dans l'éducation de nos enfants, c'est une image forte pour moi, dans dix ans au Québec. Parce qu'on ne manque pas de producteurs culturels. Ce dont on manque, c'est de consommateurs culturels. C'est de jouisseurs culturels. C'est de gens qui sont capables de partager avec leurs semblables ce qu'ils ont vécu et ce qu'ils ont vu, ce qu'ils ont ressenti au contact de la culture. C'est ça qui nous manque.

On n'a même pas de vocabulaire pour en parler. Ce vocabulaire-là, on l'apprend. On l'apprend dans un environnement éducationnel.

Je pense que le Québec, dans dix ans, devrait beaucoup ressembler à ça. Il devrait aussi ressembler, à mon avis, à une nation qui a pris une décision pour au moins une dizaine d'années. Dans un sens ou dans l'autre, mais qui l'aura prise parce qu'il l'aura demandé. Je parle de la question nationale. Parce que tu ne peux pas être mi-fédéraliste, mi-souverainiste au Québec. Ce n'est pas vrai. Mettons ça de côté pour dix ans. Le temps de faire autre chose.

Luc Ferrandez

Maire d'arrondissement, Plateau-Mont-Royal

Je vais parler encore en termes d'aménagement. J'imagine une dizaine de quartiers qui se sont vraiment recréés, qui se seront vraiment épanouis et développés. Une quarantaine de villages où on a retrouvé le rapport à la nature, où on a limité les déplacements inutiles. Pas tous les déplacements, mais les déplacements inutiles. Où il y a des réseaux de sentiers pédestres autour, où on a réinventé le loisir autour d'un bon contact avec la nature.

Je pense que ce n'est pas si difficile que ça d'enlever le Pizza Hut puis le centre d'achat à l'entrée du village, puis de resserrer ça sur le village, puis de préserver la rive du lac, puis d'acheter le camping local pour le déplacer cent mètres dans les terres, puis d'aménager la rive de façon plus naturelle. Je pense que c'est le genre de défi qu'on est capable de relever.

Je pense le Québec dans vingt ans. Mais, en même temps, Hydro-Québec s'apprête à construire une ligne de haute tension de mille kilomètres entre la Romaine puis Montréal. Tout le monde parle du barrage de la Romaine, personne ne parle de la ligne de haute tension. Mille kilomètres sur la Rive-Nord. Ça va détruire des paysages à n'en plus finir. Il faut prendre conscience de ces choses-là.

Je pense au travail de Richard Desjardins avec la forêt, avec les mines, puis celui qui a été moins reconnu avec les populations cries d'Abitibi, les Algonquiens. Il y a eu Hugo Latulippe sur le porc, il y a eu Roy Dupuis avec ses collègues sur la Romaine. Il y a une prise de conscience généralisée.

Ça brasse là, on sent que les gens prennent conscience. Comment ça va se traduire dans l'action ?

Nous sommes des analphabètes en aménagement du territoire aussi. Prenons pour exemple la rive sud dans le Bas-Saint-Laurent. Saint-Simon, le village de Saint-Simon, c'est un petit village mignon, avec la 132 qui passe au milieu. Sur la route entre Rivière-du-Loup et Rimouski, il y a plein de petites maisons individuelles qui cachent le paysage sur le fleuve Saint-Laurent. C'est pourtant un des plus beaux paysages du monde !

La Gaspésie, c'est pareil. Tout le monde s'est construit des petites maisons pour sa retraite. Avant, tu allais en Gaspésie puis tu passais Trois-Pistoles et tu arrivais sur la Lune. Des maisons blanches en bois, du foin... Des zones battues par le vent, un paysage gris-bleu, dur jusqu'au milieu de l'été, où tu te sentais seul au monde.

Maintenant, ce sont des petites maisons les unes à côté des autres, quasiment jusqu'à Percé, jusqu'à Rivière-au-Renard.

La première étape, ce sont les relations privées, les relations où tu es sur ton balcon, avec les gens d'à côté, tes voisins qui te voient et toi qui les vois. Des relations de voisinage, l'école, la cour d'école, le cœur du village.

Après ça, tu as la vie publique : les grands parcs, les grandes installations, le sacré, les musées.

Ensuite, tu as l'évasion. La possibilité de t'évader, même en ville c'est possible. C'est possible de t'évader sur le bord du fleuve, en montagne, en bordure du village, sur un chemin vert, etc. Il faut réinventer tous ces éléments de vie collective, un par un.

Je pense qu'on peut le faire pour un quartier, on peut le faire pour un village, si tout le monde prend ça en main.

Christian Dufour

Politologue

Je vois un Québec en plus petit, un Québec *en moins.* Moins riche, moins créateur, moins intéressant – les meilleurs et les plus ambitieux d'entre nous quitteront comme ces Canadiens français qui ont émigré aux États-Unis au début du XXe siècle.

Je vois une réserve de bilingues médiocres et plaignards baragouinant les deux langues.

Dans dix ans, le Québec sera ce que les Québécois en feront. Le Québec est une société privilégiée qui regorge de possibilités. C'est le moral – l'atavisme de conquis – qui fait problème.

Michael Fortier

Sénateur, ex-ministre

Les immigrants vont continuer à venir à Montréal, les politiques d'immigration des deux grands partis au Québec ne me donnent pas l'impression de vouloir stopper l'immigration. D'ailleurs, ce ne serait pas une bonne idée. Donc, on va continuer à accueillir à Montréal, bon an mal an, cinquante mille immigrants.

Dans les dix prochaines années, c'est la ville de Québec qu'on accueille. C'est cinq cent mille immigrants, dans les dix prochaines années, qu'on accueillera à Montréal.

Moi, ce qui me vient spontanément, c'est que je suis encore ici. Mes enfants ont grandi, je suis heureux, tout va bien. Mais je ne pense pas, à moins qu'on ait un réel désir de l'exécutif à Québec de faire de Montréal la pièce maîtresse d'un grand développement économique, je ne pense pas que ça va changer. Si on n'a pas ce désir de donner à Montréal tout ce dont elle a besoin pour réussir, incluant changer les structures et tout ce qui, on le sait, rend Montréal compliquée et complexe, je ne pense pas que ça va changer.

Le Québec va être doté d'une métropole qui va avoir trois hôpitaux universitaires neufs, parce qu'il y a aussi Sainte-Justine qui a le projet d'un milliard sur son centre de recherche. Alors, tu vas avoir deux hôpitaux universitaires neufs, et un Sainte-Justine totalement retapé. Tu vas avoir au moins un pont majeur neuf, tu vas avoir des axes routiers, de nombreux axes routiers refaits. Tu vas avoir des autoroutes, une autoroute de ceinture refaite, la 30. Et peut-être un Vieux-Montréal, mais il manque encore deux, trois cents millions d'investissements pour finir la job dans le Vieux-Montréal.

Quand on regarde tous les engagements du gouvernement fédéral depuis dix ans, il manque du *cash*. Mais dans dix ans, ce pourrait être fini, ça. Et on pourrait avoir un Vieux-Montréal qui, à lui seul, serait un pôle d'attraction touristique. Les gens pourraient venir parce qu'ils veulent voir ça. Il y aura des expositions, il y aura un musée. Il y a des plans de musées pour s'installer là, pas juste Pointe-à-Callière, mais d'autres musées qui voudraient avoir des fenêtres sur le Vieux-Montréal.

C'est extraordinaire, être au bord de l'eau! Si le port de Montréal déménageait la partie de ses activités qui est juste au sud, s'il y avait un hôtel là, s'il y avait un développement, une marina... Montréal, tout d'un coup, aurait cette fameuse infrastructure.

Mais est-ce qu'on l'aura? C'est de la brique et du mortier que je parle.

Il faut que quelqu'un, quelque part, dise : «On va donner un chèque puis on va le faire.»

Tout d'un coup, Montréal pourrait sortir de sa morosité, de ses nids-de-poule. Dans dix ans, ça serait une ville... wow! Ça va vraiment être wow!

Mais est-ce que tout ça sera accompagné d'un réel désir du gouvernement du Québec de doter Montréal de tous les autres soutiens pour lui permettre de continuer sa croissance, de faire travailler les cinq cent mille immigrants qui seront arrivés en dix ans et tous les autres qui sont là depuis un moment? De continuer à faire travailler les Québécois de souche, de non-souche et les gens qui sont ici depuis plusieurs générations, de créer des pôles économiques?

Ce serait quand même paradoxal d'avoir tout d'un coup une infrastructure triple A, avec des moyens économiques triple C.

Ce serait malheureux, parce que cette chance, on l'a. Les sommes pour bâtir ces hôpitaux, pour bâtir le pont... bien, le pont, on ne l'a pas encore, mais moi, je ne vois pas comment, dans dix ans, il n'y aurait pas un nouveau pont. Alors, on aura tout ça. Il faut en profiter, il faut profiter du levier économique. La seule activité économique que vont créer tous ces chantiers va à elle seule ajouter à notre PIB, ce qui est très bien, mais ce n'est pas juste ça là. On ne peut pas juste vivre de la construction. Il va falloir un plan à court, à moyen et à long terme, pour profiter de ce tremplin. Pour attirer, pour créer des emplois.

Je reviens à ça : créer des emplois. Faire de Montréal vraiment un pôle économique, un pôle de création.

De quoi le Québec a-t-il besoin ?

(seconde partie)

Camil Bouchard

Psychologue, ex-ministre

Un citoyen, ça ne se déclare pas à 18 ans. Ça se construit depuis la toute petite enfance. On fait une maudite bonne job dans les CPE avec ça. Mais une fois à l'école primaire puis secondaire, il y a des valeurs qui ne se sont pas installées, et là où les valeurs sont devenues équivalentes les unes aux autres, c'est comme si elles n'existaient pas.

J'ai écrit plusieurs trucs là-dessus, j'ai fait plusieurs conférences où je me défends d'être nostalgique et de vouloir revenir aux valeurs des années soixante. Je suis nostalgique, non pas de ces valeurs-là, mais du fait qu'il y en avait, qu'il y avait des valeurs explicites.

Quelles sont les valeurs que nos enfants, lorsqu'ils sortent du secondaire, ont retenues de leur apprentissage, de leur passage à l'école? C'est quoi les valeurs?

La coopération? Non, c'est l'employabilité. L'employabilité, la capacité de consommer. Pourquoi? Parce que ça s'installe très fortement dans le milieu ambiant, et il n'y a pas de contrôle, il n'y a pas de contrepoids à ces valeurs-là à l'école, sauf dans un réseau très, très marginal.

Si tu veux former des citoyens égocentriques, individualistes, peu sensibles aux besoins des autres, endette-les. Endette-les, et ils seront en mode «survie». Et quand tu es en mode «survie», tu veux absolument sauver ta peau.

Les parents, à mon avis, seraient d'accord pour que l'école puisse offrir à leurs enfants un environnement éducatif où ils apprendraient à être des individus autonomes et responsables. C'est-à-dire pas des surconsommateurs, mais des consommateurs raisonnables, des gens qui sont capables de voir d'où viennent les biens de consommation et c'est quoi la portée de l'achat de ces biens-là, d'une production équitable, etc. La citoyenneté responsable dans le sens de l'engagement et de l'appropriation des décisions que tu prends dans ta communauté.

La Loi sur l'instruction publique le mentionne : les valeurs de démocratie, de citoyenneté responsable, etc. Mais ce n'est jamais rentré à l'école de façon explicite. Et il y a, à mon avis, véritablement une révolution culturelle à faire autour de ça. On est rendus là.

Dany Laferrière
Écrivain

Le Québec doit sortir du Québec. Il faut qu'on en sorte. Et que les gens nous fassent bénéficier de cette expérience. Je rencontre beaucoup de Québécois partout – des hommes d'affaires, des écrivains, des chanteurs –, mais à part dans les cahiers *Voyage* des quotidiens, je n'entends pas la rumeur du monde dans l'espace médiatique québécois.

On était plus au courant de ce qui se passait dans les années de la Grande Noirceur, quand chaque famille avait trois missionnaires à l'étranger et que les gens envoyaient des lettres personnelles pour renseigner les gens sur leur vie quotidienne, en Afrique, en Chine, en Amérique latine. On était mieux renseignés que maintenant.

Les Québécois voyagent sans cesse, Dorval est un aéroport bondé, et on ne le sent pas. Les gens parlent toujours en termes de cartes postales. On ne le sent pas dans les médias.

Au début de la Révolution tranquille, on a voulu mélanger toutes les formes d'éducation, prendre exemple partout dans le monde. On l'a fait, on a envoyé nos hommes politiques et nos gens partout dans le monde, on a essayé de prendre des solutions pour faire des choses. Et là, on s'en va partout, mais on n'entend pas la rumeur du monde dans l'espace public.

Ça, ça pourrait aider, ça ne coûte rien, et on le fait déjà. Mais seulement, l'expérience n'est pas partagée. Il s'agit encore de nous sortir de notre insularité.

Il faut aussi régler la question de la spiritualité. À un moment donné, il faudrait bien qu'on y fasse face, parce que ça devient un problème. Ça fait presque trois générations. Cette question-là n'a pas été discutée même sur le plan culturel. Le texte de la Bible est l'un des textes les plus forts que j'aie lus, comme ça, par hasard, dans ma vie. C'est l'un des mieux écrits. Très peu de livres commencent ainsi : « Il y eut un soir, il y eut un matin, et ce fut le premier jour. » C'est immense. C'est immense !

C'est la Genèse. Et dans le Livre des rois, il n'y a rien qui ne s'est pas fait. Malgré tout ce qu'on peut dire de mal de la religion, personne n'est allé plus loin que l'Ecclésiaste ! Le Livre des proverbes, personne n'est allé plus loin ! Le Livre de Job, personne n'a posé la question de Dieu aussi fondamentalement et sérieusement. Imaginez Job, l'Élu de Dieu, l'homme qui a tout, et Satan qui négocie avec Dieu en lui disant : « Donne-moi ton fils, à qui tu penses avoir tout donné, qui t'adore, je vais le faire chuter pour voir c'est quoi, dans la réalité humaine, matérielle, quotidienne, concrète, c'est quoi l'esprit de Dieu. »

C'est quand même pas mal comme débat. Si les jeunes savaient que ce qu'ils disent à propos de l'Église, c'est de la petite bière par rapport à ce que dit l'Ancien Testament… Dans l'Ancien Testament, c'est des contes à ne plus finir. Mais il n'y a pas de morale après… Personne dans l'Ancien Testament ne dit : « C'est pas bien. » On vous dit : « C'est comme ça ! » C'est extraordinaire !

Le plus beau texte d'amour que j'aie jamais lu, c'est le texte à double voix du Cantique des cantiques… Il y avait tout : l'enfant chéri d'Israël qui couche avec une Négresse ! Et le texte commence ainsi : « Je suis Noire mais je suis belle. Et le roi m'aime… » C'est extraordinaire ! Et tu vois, on est dans des débats là… Et cette fille habite chez sa mère, dans un quartier pauvre de la ville ! Et c'est une double voix. Elle appelle Salomon *mon fiancé aux pieds ailés*. Mais d'une beauté érotique. Elle dit : « Il va me prendre dans la chambre, dans le lit de ma mère. » Ils n'ont pas parlé de mariage, ni de concubinage… Il faut que les jeunes arrêtent de lire des stupidités et trouvent des grands textes. Le Cantique des cantiques, c'est d'une beauté… et à double voix ! La voix de Salomon et la voix de la femme. C'est une femme qui prend la parole pour dire son désir et son rapport avec le fils de David ! L'enfant chéri d'Israël…

Le Nouveau Testament, le fait même du Nouveau Testament, est extraordinaire ! Le Nouveau Testament dit ceci, et c'est très simple : l'amour remplace la loi. Quand il y a l'amour, on n'a pas besoin de loi. Les anarchistes n'ont pas dit mieux ! L'amour remplace la loi.

C'est-à-dire qu'une mère qui aime son enfant, tu n'as pas besoin de lui dire de ne pas l'abattre, de ne pas le priver du lait de ses seins... C'est pour empêcher l'hypocrisie de la loi. C'est quand même pas rien !

On est perdu quand on n'a pas ça. C'est la clé. Quand tu n'as pas ça, tu perds toute la culture judéo-chrétienne. Brahms. Tu perds d'où vient Mozart quand il fait sa musique. Tu perds toute la culture, toute la peinture, puisque c'était ce qu'on appelle le génie du christianisme, qui est à la base de la culture occidentale.

Les gens disent : « Nous sommes des Occidentaux. »

Non ! Vous n'avez pas de culture occidentale. Vous n'avez pas de culture occidentale, vous n'avez pas la clé. La clé qui ouvre toute cette culture. Vous l'interprétez comme on interprète le Canada, c'est-à-dire sans y aller !

Pierre Lavoie

Triathlonien, président de l'Association de l'acidose lactique

Le Québec a besoin d'un bon leader qui passe des messages cohérents, qui vient chercher notre cœur. Il a besoin de se faire responsabiliser vis-à-vis des prochaines générations. Je pense qu'aujourd'hui on a besoin de faire des changements fondamentaux dans la société, et ce n'est pas le gouvernement qui peut le faire. On le voit, le gouvernement, quand il veut faire quelque chose, il a peu de crédibilité, il a moins de crédibilité.

Partons des mouvements sociaux, qui sont axés sur le gros bon sens, sur la responsabilité sociale. Puis un jour, finalement, c'est le gros bon sens qui finira par l'emporter. Moi, dans ma vie, je vous le dis, avec l'acidose lactique, on est partis de rien. Puis j'ai tout le temps dit qu'on finirait par y arriver. J'ai tout le temps dit : « Finalement, je suis un capitaine de navire », puis je disais aux gens : « On va réussir. » Quand tu lances un navire, il faut que les gens qui vont embarquer dans le bateau avec toi, ils soient convaincus que tu vas réussir. Le premier qui a traversé l'océan, il disait à son équipage : « Je vous garantis qu'il y a un continent de l'autre côté. » Fallait qu'il soit convaincu.

Yves Desgagnés

Acteur, metteur en scène, réalisateur

De culture ! Le Québec a besoin de savoir s'il veut vivre ou mourir. Je ne suis pas économiste, il y a des gens beaucoup plus avisés que moi pour le faire. Mais je crois que toute la question économique s'est beaucoup compliquée ces dernières années. L'interdépendance est telle qu'on ne peut plus vraiment revendiquer seulement la pancarte économique pour faire progresser le Québec.

Mais on peut revendiquer le fait qu'aujourd'hui à la télévision, vous et moi, dans un réseau provincial encore, qui est Télé-Québec, nous parlons français, nous voulons transmettre… Est-ce qu'on veut que, dans cent ans, dans deux cents ans… Ce n'est pas grave que ce ne soit pas de notre vivant. Tchekhov nous dit ça aussi : « Si ce n'est pas pour nous, ce sera pour d'autres qui viendront après nous. » Est-ce qu'on veut, oui ou non, vivre ou mourir ? C'est une question personnelle. Moi, je suis de ceux qui pensent qu'avant d'être ensemble avec des pancartes dans la rue, il faut se coucher le soir et se poser des questions personnelles. Et que, chacun d'entre nous, on peut faire la différence.

Jean-Jacques Pelletier
Auteur de romans et d'essais, philosophe

Ouf... D'exister? Ce serait déjà un bon départ. Ensuite, je dirais d'un petit peu de transparence, peut-être? On vit dans un monde où tout le monde, sauf deux ou trois, pense qu'on n'a pas besoin de transparence. Par exemple, l'industrie de la construction.

Mais en même temps, je comprends les gouvernements. Parce que les gouvernements qui ont fait des enquêtes publiques ont souvent été victimes des enquêtes publiques! Gomery est un bon exemple. Je comprends les réticences des politiciens, mais je crois que nous n'avons comme pas le choix. Parce que le jour où il n'y a plus de transparence est le jour où les gens ne croient plus à leurs institutions. C'est la chose la plus dangereuse qui puisse arriver. Parce que, à ce moment-là, ils vont se désintéresser de la politique, ils vont se désintéresser de l'action collective.

Pierre Lapointe
Auteur-compositeur-interprète

Le Québec a besoin de prendre conscience de la fragilité de la langue française. Et je pense qu'on manque un petit peu d'audace, en fait de beaucoup d'audace. Je pense que ça part d'un manque flagrant de valorisation de la curiosité dans les établissements scolaires. Parce que, quand on est curieux, tout vient avec. On finit par trouver des trucs qui nous passionnent dans tous les domaines. Et là, ça fait une société qui est curieuse, qui n'a pas peur de voir un bâtiment qu'il ne comprend pas, qui n'a pas peur de voir un vêtement qu'il ne comprend pas, qui n'a pas peur de voir quelqu'un qui parle une langue qu'il ne comprend pas. Le Québec est un peu frileux par rapport à ça.

Yannick Nézet-Séguin
Chef d'orchestre

On aurait besoin parfois de se souvenir un peu plus d'où on vient. On aurait besoin parfois aussi de cesser de faire table rase et de construire sur ce qu'on a bâti. On commence à être un peuple qui a une histoire, quand même, et on devrait se relier à cette histoire-là.

Alex Perron
Humoriste, animateur

Le Québec a besoin d'un mosus de coup de fouet. Je trouve qu'on n'est pas conscients du pouvoir qu'on a, comme citoyens. En ce moment, on vit des choses incroyables en politique, et on fait : « Bah, qu'est-ce que tu veux… » Puis on s'assoit. Quand, dans le fond, c'est nous autres qui mettons ces gens-là en place. C'est eux autres qui sont éjectables, pas nous autres !

Marie Laberge
Écrivaine, dramaturge

On a besoin, toujours, toujours, toujours, de quelqu'un de très solide et de très honnête. On a besoin d'honnêteté et de foi. Donnez-moi confiance. Ce en quoi je crois, moi, c'est en l'être humain et sa dignité, sa totale dignité, et pas en des choses rapides. L'être humain et sa dignité importent plus que votre appétit de pouvoir qui est si vorace et si terrible. Je suis très fâchée, moi, de ce qui se passe.

Djemila Benhabib
Auteure, ex-journaliste

Il ne faut jamais désespérer. Parce qu'exister, c'est espérer. Autrement, la vie n'aurait aucune saveur. Autrement, on vivoterait.

C'est tellement ennuyant de vivoter, ce n'est pas plaisant. Vivre, c'est aussi avoir du plaisir, c'est avoir des rêves. Moi, j'ai vu des gens mourir pour des rêves, mourir pour des idées.

J'ai vu des gens qui mouraient pour des idées, tellement l'idéal pour eux était important. Et je sais ce que c'est que de porter un idéal. Vibrer pour une idée. C'est ça qui nous manque. C'est de vibrer. La chose qui va nous faire vibrer.

Il faut tirer les gens vers le haut et non pas vers le bas, comme on est en train de le faire constamment, constamment, constamment. Donc les gens ont besoin de se nourrir. Les gens sont intelligents. On les prend pour des imbéciles. On veut les faire passer pour des idiots. Ils ne le sont pas.

Martin Petit
Humoriste

Je pense que... Je pense que le Québec a besoin d'un objectif tonifiant. Je pense que le Québec a besoin d'être tonifié. Je pense que le Québec a besoin d'être ambitieux en ce moment. J'ai l'impression que là, là, on ne s'occupe même plus de la maison. Là, là, on se chicane pour les fils de la thermopompe. On n'est plus en train de se demander : « On bâtit-tu un deuxième ? » Là, là, c'est des chicanes de thermopompe. On n'est plus dans des enjeux qui sont internationaux. J'ai l'impression qu'on vient de perdre... J'ai l'impression qu'on vient de perdre dix ans.

Anaïs Barbeau-Lavalette
Cinéaste, auteure

Moi, je suis nourrie par la campagne. C'est comme si mon identité était vraiment enracinée dans le bois. Mon chez-moi, c'est ici, dans ces bois-là, dans cette terre-là des Cantons de l'Est. J'ai beaucoup voyagé et, en voyage, quand je me rappelle mon pays, quand je me rappelle le Québec et que j'en parle de manière émotive, c'est ici, dans la nature foisonnante et tellement riche que... Quand je ferme les yeux, c'est vraiment ce pays-là qui m'émeut, en dehors de la ville, le Québec sauvage...

C'est ici que j'ai compris les Palestiniens qui mouraient pour leur terre.

Quelqu'un voudrait me l'enlever, ma terre, et je crois que je serais capable de mourir pour elle...

Claude Villeneuve

Biologiste, spécialiste en sciences de l'environnement

Ça fait trente-cinq ans que je m'interroge sur la relation qu'on a avec l'environnement. Et je dirais que le changement de paradigme demande, jusqu'à un certain point, qu'on sorte du *mainstream*, qu'on sorte de ce que les médias nous disent, des «vérités reçues» avec lesquelles on nous assomme.

Il faut vraiment voir les choses différemment. Pour voir les choses différemment, il faut qu'on pense, qu'on fasse le saut de la société industrielle – qui est notre passé–, de la société agricole – qui est notre passé pas si lointain – pour commencer une relation avec l'environnement qui ressemble beaucoup plus à celle des chasseurs-cueilleurs. Il ne s'agit pas d'utiliser les ressources spontanément disponibles, comme les chasseurs-cueilleurs jadis, mais bien d'un nouveau genre de relation avec le territoire, comme celle qu'on peut avoir avec une personne ou avec un groupe humain.

Il faut concevoir l'interdépendance entre les gens qui font une vie sur un territoire X et le devenir de ce territoire-là. Et ça, ce n'est pas évident parce que c'est une nouvelle dimension culturelle. Il faut inventer, dans la société d'information, pour être capable de gérer autrement plutôt que de concevoir l'avenir comme une simple accélération de la société industrielle. Et on est particulièrement mal équipés pour le faire.

Parce qu'on a une pensée qui est presque unique, qui est très *mainstream*. On a une pensée de tradition agricole, c'est cette tradition qui nous a donné nos institutions. On a une société qui fonctionne dans un diktat économique qui est celui de la société industrielle. Et on a rejeté en bloc la culture des chasseurs-cueilleurs. Donc comment peut-on inventer ça?

Ça passe par l'éducation. Ça passe par quelque chose qui est absolument contre-culturel, que j'appellerais le contentement. Notre société, actuellement, stimule nos appétits. Alors qu'il faut qu'on soit capable de concevoir… *how much is enough.* Il faut être capable de concevoir ce qui est notre objectif de bien-être avec les autres. Et je ne suis pas en train de fumer un joint au coin du feu! Mais c'est vraiment le genre d'attitude sur lequel il faut travailler.

L'idée du centre et de la périphérie est dépassée. Tu sais, le bout du monde, il est en avant, en arrière, du côté gauche, du côté droit, selon le bord duquel tu pars pour aller faire le tour de la Terre. Il n'y a pas de bout du monde, il n'y a pas de régions périphériques, il n'y a pas de pays qui sont plus importants que les autres.

Il y a des populations qui vivent à un endroit donné et qui doivent entretenir des relations avec ce monde-là. Que ce soit un monde urbain ou un monde rural.

On doit avoir conscience de notre impact sur le territoire. Puis on doit avoir conscience de notre niveau de contentement.

Moi, ça fait bien longtemps que je n'ai pas eu le salaire que j'avais dans les années quatre-vingt-dix. Et j'en suis encore très loin aujourd'hui. Parce que, à un moment, je me suis dit: «Écoute, de quoi j'ai besoin?» Puis je me suis dit: «J'aime enseigner. J'aime faire de la recherche, j'aime discuter les choses un peu différemment et j'aime aller à la pêche.»

Quand je vais à la pêche, j'attrape mon quota de poissons, j'en ai assez. Quand j'enseigne, après un certain temps, ce sont mes étudiants qui en ont assez!

Ce que je m'applique à moi-même, c'est plus de liens…

Et puis, on est deux dans la maison. Ça ne donne rien d'avoir une maison de soixante mille pieds carrés, on est deux!

C'est ça, trouver son contentement.

Avoir plus confiance en nous, ça ne veut pas dire nécessairement vouloir à tout prix dépasser tous les indicateurs de tous nos voisins. C'est de faire les choses différemment.

Un de mes étudiants a marié une fille, et ils sont allés faire tous les deux leur doctorat en Arizona en physique optique. À un certain moment donné, ils n'étaient plus capables de vivre aux États-Unis parce que ça ne correspondait pas à leurs valeurs. Ils travaillaient pour l'armée américaine. Ils étaient mal dans ce qu'ils faisaient, dans le groupe autour duquel ils gravitaient dont les ambitions, bien légitimes, ne correspondaient pas à ce qu'ils voulaient.

Ils sont revenus, à un moment donné, travailler dans une entreprise à L'Île-Bizard. L'entreprise a eu des difficultés, donc ils ont créé leur propre entreprise. Ils sont consultants internationaux. Ça veut dire que l'Agence spatiale européenne les appelle au chalet pour dire : « On est bogués. »

Je les regarde et je trouve que c'est un très bel exemple. Ils travaillent tous les deux dans leur compagnie, ils ont deux enfants adorables, une maison à Québec, un chalet au Lac-Saint-Jean.

Ça, c'est avoir confiance en soi. C'est-à-dire que tu es quelqu'un qui est capable d'être indispensable à l'échelle internationale. Tu es quelqu'un qui est capable de ne pas en ressentir un orgueil immodéré, mais tu es capable de dire ce que tu es réellement. Tu es capable de concevoir que tu as, pour une trentaine d'années, un projet commun qui s'appelle une famille et dans laquelle tu t'investis – et tu vis avec ces éléments-là.

Et tu es capable de profiter du pays. Ils s'occupent aussi bien de leurs vieux parents que de montrer la pêche aux enfants.

Il y a des choses qu'il faut reconstruire dans notre confiance en nous-mêmes, c'est ça dont je parle. C'est-à-dire être capable de déboiser tes limites, si c'est ça que tu as envie de faire. Exceller, être un acteur à l'échelle mondiale, etc., il n'y a absolument rien qui en empêche un Québécois...

Moi, j'ai dirigé une compagnie qui offrait ses services au niveau international à partir d'un village au Lac-Saint-Jean. J'avais à peu près 2 % de mon chiffre d'affaires dans cette région-là. Puis le reste, c'était ailleurs dans le monde. Alors, pourquoi est-ce que je pouvais faire ça à partir du Lac-Saint-Jean ? C'est parce que j'avais une compagnie aérienne qui desservait l'aéroport à côté, et j'achetais mes billets d'avion par paquets de vingt. J'étais aussi proche de Paris que quelqu'un qui reste à Saint-Jovite ou à Saint-Hubert. J'avais juste une heure d'avion de plus à faire, et j'étais à Dorval, et je pouvais transférer puis faire comme n'importe qui qui reste à Saint-Jovite ou à Saint-Hubert !

Ce genre de chose-là n'est vraiment pas *mainstream*, mais c'est tout à fait concevable. À mon avis, ça prend ça au Québec.

Ce n'est pas ça qui va faire vendre plus d'autos. Ce n'est pas ça qui va faire vendre les plus grosses maisons. Ce n'est pas ça qui va faire vendre le plus de cinémas maison.

Mais, comme je le dis à mes étudiants, tes amis Facebook ne viendront pas t'aider à soigner ton vieux père. Ils ne viendront pas te donner une fin de semaine de répit quand tu es un aidant naturel qui accompagne quelqu'un en train de mourir !

L'école est pleine de réponses à des questions que personne ne se pose. Malheureusement, selon mon expérience, tu acquiers des connaissances en te posant des questions ! Or, l'éducation ne nous apprend pas, la société ne nous apprend pas à nous poser des questions. Au contraire, on nous dit que c'est mauvais de poser des questions.

Alors, quand on arrive au niveau politique, là où les gens, pour survivre, doivent affirmer détenir une vérité incontestable, et avoir une confiance aveugle en un chef, et suivre la ligne de parti, alors on s'inscrit dans le contraire de ce qui est normal et de ce qui est nécessaire pour développer l'intelligence. Si on ne peut pas poser toutes nos questions et obtenir des réponses qui nous font grandir, on ne peut que s'appauvrir et disparaître par manque d'intérêt.

L'avantage de poser les questions, c'est de ne pas avoir à y répondre...

Depuis deux ans, j'écoute toutes sortes de gens réfléchir à ce dont le Québec a besoin sans avoir répondu moi-même. Aujourd'hui, forte de l'exercice d'approfondissement qu'aura été ce livre, ma réponse serait tout sauf originale. Le Québec a besoin de temps, de candeur et de courage. De respirer par le nez. De prendre des *Oméga 3 Joy* tous les matins. De parler à son beau-frère, à son voisin, de convaincre une grosse gang que quelque chose est encore possible.

Le Québec a besoin de cesser de s'étourdir, de pelleter ses problèmes par en avant. Il doit arrêter d'être blasé, cynique, défaitiste. Il y a ici des individus talentueux, des ressources, des envies. En revanche, l'absence de lieux d'écoute pour ceux qui ont des projets est démobilisante, et l'impression d'urgence qui nous assaille nous pousse à exiger n'importe quoi, pourvu que ce soit rapide, et à tout dénigrer dans les mois qui suivent.

Oui, les réponses cumulées ici vont dans toutes les directions, selon les intérêts et champs d'expertise de chacun. Chaque interviewé raconte son bout, sa partie de ce que pourrait être le Québec.

Pourtant, quelque chose ressort très fort. Ça percole à travers toutes les réponses, des plus traditionnelles aux plus provocantes : l'idée que c'est tout un système qu'il faut repenser. Au Québec, comme ailleurs, on ne peut plus voir les choses isolément, s'attaquer seulement à ce qui semble urgent cette semaine, parce que tout se tient. On ne peut plus vouloir le développement économique sans considérer l'importance du développement durable. On ne peut plus parler de Montréal sans évoquer l'ensemble du Québec. On ne peut pas réparer les ponts sans réparer aussi l'éducation.

L'effondrement, au beau milieu de l'été 2011, de paralumes de béton de l'autoroute 720, en plein cœur du réseau routier montréalais, la réaction politicienne ahurissante de jovialisme et de déconnexion, et le cynisme des médias et des citoyens qui a suivi, ont des allures de métaphore de l'État du Québec. Absence de responsabilité, total manque de sens historique, mépris de la sécurité et du bien-être de l'autre, de la communauté. Déni. Patchage. Pelletage de solutions. Et, surtout, perte collective de confiance. C'est doublement métaphorique parce que ces infrastructures de béton qui nous tombent sur la tête sont les symboles des années soixante, de l'accession du Québec à la modernité et de la naissance du fameux «modèle québécois» qu'on remet en question aujourd'hui...

Oui, on a furieusement perdu le sens de l'ensemble, de la globalité, du lien, de la responsabilité. Le Québec rêvé par la majorité de ceux que nous avons interrogés a le souci de l'autre et de l'ensemble. Fini le temps où on ne pense qu'à soi, à ses amis, à son groupe d'âge, son club, sa classe sociale. En cette période cruciale de notre histoire, il faut être attentif à tout et à tous. Ce qu'on oublie nous rattrape. Ceux qu'on néglige entraînent le reste vers le bas. Ce que nos interviewés ont dit traduit un manque, une envie de prendre les choses à bras-le-corps. Ça appelle à un chantier immense, à un regard nouveau et à beaucoup de compassion envers nous-mêmes. Il en va de notre envie de continuer.

Temps, candeur, courage...

Le sous-titre de ce livre est *Fragments d'un dialogue essentiel.* Chaque mot compte.

Ce n'est que le début.

Faut se parler.

Et c'est urgent!

Marie-France Bazzo

Jean Barbe

Membre de l'équipe fondatrice du journal *Voir*, dont il a été le rédacteur en chef de 1986 à 1991, romancier, journaliste, scénariste, chroniqueur culturel, éditeur et animateur, Jean Barbe vit par et pour la culture depuis près de trente ans.

Marie-France Bazzo

Curieuse et sociologue, animatrice et productrice ayant longtemps été à la barre d'*Indicatif présent* à la radio de Radio-Canada, Marie-France Bazzo anime l'émission *Bazzo.tv* depuis six ans.

Vincent Marissal

Diplômé en journalisme de l'Université du Québec à Montréal, Vincent Marissal a commencé sa carrière au quotidien *La Voix de l'Est*, à Granby, avant de passer au quotidien *Le Soleil* de Québec, puis à *La Presse*, d'abord comme courriériste parlementaire à Ottawa, ensuite comme adjoint au directeur à l'information à Montréal, et puis, depuis 2002, comme chroniqueur politique. Il participe à l'émission *Bazzo.tv* depuis cinq ans et collabore régulièrement avec Radio-Canada et RDI.

Ont répondu à Marie-France Bazzo dans le cadre de l'émission *Bazzo.tv* :

Pascale Bussières, actrice
Yves Desgagnés, acteur, metteur en scène et réalisateur
Roy Dupuis, acteur
Raôul Duguay, poète et auteur-compositeur-interprète
Marie Laberge, écrivaine et dramaturge
Pierre Lapointe, auteur-compositeur-interprète
Louise Latraverse, comédienne, animatrice, directrice artistique et metteure en scène
Régine Laurent, présidente de la Fédération interprofessionnelle de la santé du Québec

Pierre Lavoie, triathlonien, président de l'Association de l'acidose lactique

Jean-François Mercier, humoriste, scénariste et animateur

Yannick Nézet-Séguin, directeur musical et chef d'orchestre de plusieurs grands ensembles dans le monde

Lucie Pagé, journaliste, réalisatrice et auteure

Jean-Jacques Pelletier, auteur de romans et d'essais, et philosophe

Alex Perron, humoriste et animateur

Martin Petit, humoriste

Ont été interviewés spécifiquement pour ce livre :

Anaïs Barbeau-Lavalette

Réalisatrice, documentariste engagée, auteure, militante (notamment contre les conservateurs de Stephen Harper en 2008), cette jeune trentenaire à la feuille de route impressionnante est connue, entre autres, pour son film *Le ring* (2007), pour son engagement auprès des autochtones et pour son roman *Je voudrais qu'on m'efface* (2010).

Djemila Benhabib

Djemila Benhabib s'installe au Québec en 1997, où elle fait des études en physique, en sciences politiques et en droit international. Elle est conférencière et auteure de l'essai qui nous l'a fait découvrir en 2009, *Ma vie à contre-Coran : Une femme témoigne sur les islamistes.*

Camil Bouchard

Camil Bouchard a été député provincial (Parti québécois) dans la circonscription de Vachon de 2003 à 2010. Psychologue de formation, éminent professeur et chercheur à l'UQAM pendant vingt-huit ans, c'est à lui qu'on doit le célèbre rapport *Un Québec fou de ses enfants*, paru en 1991.

Marc-André Cyr

Historien et doctorant en sciences politiques à l'UQAM (thèse sur l'histoire de la révolte et des mouvements sociaux au Québec), Marc-André Cyr milite pour les droits sociaux, enseigne l'histoire dans le réseau communautaire et collabore au journal *Le Couac*.

Roméo Dallaire

Ancien général dans les Forces armées canadiennes, Roméo Dallaire dirigeait la Mission des Nations unies pour l'assistance au Rwanda en 1994, lors du génocide qui a fait 800 000 morts. Traumatisé par cette expérience, il a par la suite dénoncé l'inaction de la communauté internationale et publié un livre, *J'ai serré la main du diable*, qui a été adapté au cinéma. Il est sénateur depuis 2005 et reste un commentateur recherché en affaires étrangères.

Evelyne de la Chenelière

Auteure prolifique, Evelyne de la Chenelière a écrit de nombreuses pièces de théâtre très remarquées, dont *Des fraises en janvier*, *Au bout du fil*, *Henri & Margaux*, *L'héritage de Darwin*, *Bashir Lazhar* et *Le plan américain*. Elle a reçu en 2006 le Prix littéraire du Gouverneur général pour son recueil intitulé *Désordre public*. Elle a aussi publié un roman, *La concordance des temps*, en 2011.

René-Daniel Dubois

Dramaturge, metteur en scène, comédien, traducteur, scénariste, professeur, poète et pamphlétaire, René-Daniel Dubois a signé quelques-unes des pièces les plus marquantes de la dramaturgie québécoise : *Panique à Longueuil*, *Ne blâmez jamais les Bédouins*, *Being at home with Claude*...

Christian Dufour

Avocat, politologue et auteur, Christian Dufour fait de la recherche et enseigne à l'École nationale d'administration publique (ENAP) à Montréal. Chroniqueur au *Journal de Montréal*, il commente régulièrement l'actualité dans les médias écrits et électroniques. En 2008, il a publié *Les Québécois et l'anglais – le retour du mouton.*

Benoît Dutrizac

Romancier, scénariste, critique, animateur télé et radio, Benoît Dutrizac s'est bâti depuis une vingtaine d'années une réputation d'intervieweur fougueux et de commentateur mordant n'ayant pas la langue dans sa poche et ne reculant pas devant la controverse. Il anime une émission quotidienne d'affaires publiques sur les ondes du 98,5 FM depuis quelques années.

Luc Ferrandez

Politicien coloré et allergique à la langue de bois, le maire de l'arrondissement Plateau-Mont-Royal s'est fait remarquer, depuis son élection en 2009, par ses prises de position fortes et par sa croisade pour la diminution de la circulation automobile en ville. Militant «vert», il a été chercheur en environnement pour le Centre international de recherche sur l'environnement et le développement à Paris.

Michael Fortier

Vice-président du conseil de RBC Marché des Capitaux depuis octobre 2010, cet avocat de formation né à Québec en 1962 a travaillé pour de grands cabinets juridiques et des institutions financières à Londres et à Montréal, mais il est surtout connu du grand public comme ancien ministre des Travaux publics et des Services gouvernementaux, ministre du Commerce international et ministre responsable de la grande région de Montréal dans le gouvernement de Stephen Harper, de 2006 à 2008.

Pierre Harvey

Athlète d'exception, Pierre Harvey est un des rarissimes sportifs à travers la planète à avoir participé aux Jeux olympiques d'été (cyclisme) et d'hiver (ski de fond). Cet ingénieur de formation, né à Rimouski en 1957, prêche depuis plus de trente ans les vertus de l'activité physique. Il est aussi le père d'Alex Harvey, une jeune étoile parmi l'élite mondiale du ski de fond.

Dany Laferrière

Romancier, communicateur, intellectuel, Dany Laferrière est connu, respecté et apprécié autant pour la profondeur de son œuvre littéraire que pour son grand sens de l'humour, sa personnalité magnétique et son humanisme. Il a publié près de vingt romans et il a reçu le prestigieux prix Médicis pour *L'énigme du retour* en 2009.

Daniel Lamarre

Cet ancien journaliste né à Grand-Mère en 1953 est président et chef de la direction du Cirque du Soleil depuis dix ans. Auparavant, il a occupé les mêmes fonctions au sein du Groupe TVA pendant quatre ans. Il a aussi laissé sa marque dans de grandes entreprises telles McDonald's, National et Cogeco.

Gilles Parent

Incontournable voix du Québec depuis plus de trois décennies, Gilles Parent a commencé sa carrière radiophonique à 17 ans et a révolutionné le milieu avec des émissions comme *Le zoo* ou *La jungle,* avec lesquelles il a fracassé des records de cotes d'écoute. Depuis 2007, il anime *Le retour de Gilles Parent,* émission de fin d'après-midi au FM93.

Guy Rocher

Né à Berthierville en 1924, cet intellectuel diplômé de Harvard œuvre dans le milieu universitaire québécois depuis plus de cinquante ans et est considéré comme le « père » de la sociologie au Québec. Engagé socialement,

Guy Rocher est aussi un ardent défenseur de l'État-providence.

Paul Saint-Pierre Plamondon

Paul Saint-Pierre Plamondon est avocat et président de *Génération d'idées*, un groupe de réflexion qui s'est donné pour mandat de donner une voix aux 20-35 ans dans le débat public.

Kim Thúy

Kim Thúy a quitté le Viêtnam à l'âge de dix ans à bord d'un *boat people*. Elle a été couturière, interprète, avocate, propriétaire d'un restaurant, et chroniqueuse culinaire pour la radio et la télévision. Elle vit aujourd'hui à Montréal et se consacre à l'écriture. *Ru*, son premier roman paru chez Libre Expression en octobre 2009, a été finaliste à quelques prix littéraires et a obtenu le Prix du Gouverneur général 2010, le Grand Prix RTL/Lire 2010 et le Prix du grand public Salon du livre de Montréal/*La Presse* 2010 ; les droits de ce livre ont été vendus dans dix-sept pays.

Claude Villeneuve

Biologiste, chercheur, auteur, professeur, commentateur et vulgarisateur respecté, Claude Villeneuve est directeur de la Chaire en éco-conseil de l'Université du Québec à Chicoutimi. Écolo avant l'heure, il a écrit plusieurs ouvrages, dont, en 1990, un livre au titre prophétique : *Vers un réchauffement global ?*

TABLE DES MATIÈRES

OUVRAGE RÉALISÉ PAR
LUC JACQUES, TYPOGRAPHE
ACHEVÉ D'IMPRIMER
EN OCTOBRE 2011
SUR LES PRESSES
DE MARQUIS IMPRIMEUR
POUR LE COMPTE DE
LEMÉAC ÉDITEUR, MONTRÉAL

DÉPÔT LÉGAL
1re ÉDITION : 4e TRIMESTRE 2011
(ÉD. 01 / IMP. 01)